AF454259

Psicología oscura

Una guía esencial de persuasión, manipulación, engaño, control mental, negociación, conducta humana, PNL y guerra psicológica

Índice

1ª parte: Psicología oscura

Lo que las personas maquiavélicas poderosas saben, y usted no, sobre persuasión, control mental, manipulación, negociación, engaño, conducta humana y guerra psicológica

Introducción

Si ha sido manipulado alguna vez en su vida, probablemente sepa exactamente cómo es ser sometido al comportamiento dañino y doloroso de gente que parece que no tiene escrúpulos. Puede que se pregunte qué puede forzar a una persona a comportarse de una manera tan destructiva, o incluso cómo son capaces de hacerlo en primer lugar. Mientras que las razones que contribuyen al comportamiento destructivo y dañino de alguien son muchas, las estrategias que usan para lograr su destrucción son bastante claras. Dependen de herramientas como la manipulación, el engaño, la negociación, el control mental, la conducta humana y la guerra psicológica para salirse con la suya.

El contenido de este libro le ayudará a desarrollar un conocimiento más profundo de las herramientas que han sido usadas en la psicología oscura para ayudar a gente a conseguir lo que comúnmente se conoce como *poder maquiavélico*. Esta forma de poder es oscura, destructiva y, a veces, hecha a expensas de muchas personas buenas que fueron arrastradas, sin saber e involuntariamente, a los juegos del líder falaz. Al final, a menudo es el líder maquiavélico que carece de empatía y compasión hacia otros el que gana, haciendo, por tanto, que sea fácil para ellos despachar torturas, destrucción y dolor sin ningún remordimiento alguno por sus acciones o comportamiento.

Al informarse usted sobre qué tipos de comportamiento son y cómo funcionan, puede protegerse de ser engañado por un poder maquiavélico. Cuanto más entienda cómo funcionan estos juegos retorcidos y acepte el hecho de que un maquiavélico no tiene una guía moral o empatía por los que le rodean, más fácil será identificar su comportamiento y protegerse de su destrucción. En algunos casos, puede que sea completamente inevitable estar involucrados con ellos, por ejemplo, si se trata de su jefe o de una persona en política que gobierna su país. Sin embargo, entender sus tácticas y estrategias puede prevenir que sea arrastrado a su destrucción y, con suerte, asegurar que se mantiene cuerdo para que pueda evitar la tortura y dolor mental que viene con su comportamiento. Por favor, tenga en cuenta que este libro no está dirigido, de ninguna forma, a respaldar un comportamiento manipulativo o alentar las herramientas de psicología oscura como el engaño y el control mental. En cambio, está pensado para educarle para que se pueda proteger contra este comportamiento destructivo.

Si está listo para descubrir cómo funcionan los maquiavélicos y entender cómo puede protegerse contra estrategias engañosas y peligrosas, ¡es hora de comenzar! Por favor, tómese su tiempo para leer este libro, ya que hay mucho que aprender sobre este tema y puede ser bastante difícil leerlo si todavía se está recuperando de la destrucción de un manipulador.

Capítulo 1: Poder maquiavélico

El poder maquiavélico es una forma de poder usada por individuos que emplean artimañas e hipocresía para conseguir control sobre otros. Surgió a mediados del sigo XV del escritor y diplomático del Renacimiento italiano Niccolò Machiavelli, que era famoso por muchos de sus escritos, como *Il Principe* (*El príncipe*). Hoy en día, el maquiavelismo es una palabra usada para describir uno de los tipos de personalidad de la triada oscura que la gente emplea, permitiéndoles expresar una cínica desconsideración por la moralidad para así poder enfocarse en ganancias personales.

El poder maquiavélico es una forma de poder que deriva de individuos que pueden disociarse por completo de sus emociones y moral para conseguir logros egoístas. A través de esta desconexión, pueden manipular a otros de una forma muy poderosa, embaucándoles para seguir fielmente al individuo maquiavélico, a menudo sin siquiera darse cuenta de que lo están haciendo. Las formas del maquiavelismo son tan oscuras y retorcidas que a menudo las personas con buen corazón y almas amables no son capaces de entender que un poder tan oscuro y retorcido siquiera pudiera existir. Con frecuencia, son arrastrados a creer cualquier cosa que el individuo cínico dice y creen realmente que están contribuyendo con algo positivo en el mundo que les rodea.

La gente que se identifica con el maquiavelismo realmente cree que el mundo es un lugar egoísta y malvado. Creen en afirmaciones como "nunca le diga a alguien la verdadera razón por la que hizo algo a no ser que le sea útil hacerlo", pero no creen en afirmaciones como "la mayoría de la gente es buena y amable". A los maquiavélicos les motiva el egoísmo y tienen una fuerte habilidad para manipular a otros. También tienden a ser extremadamente inteligentes en cuanto a su coeficiente intelectual, pero con frecuencia tienen un bajo coeficiente emocional. Se cree que usan su alto coeficiente intelectual para incrementar sus habilidades manipuladoras y su baja inteligencia emocional les apoya a desprenderse de la moral y emociones como la empatía o la compasión por otros.

Líderes maquiavélicos famosos

Algunos de los líderes maquiavélicos más famosos de la historia incluyen el Julio César de Shakespeare, Luís XI de Francia, Catalina de Médici, Otto von Bismarck, François Mitterrand, y Félix Houphouët-Boigny. Se sabe que cada uno de estos líderes empleaban las lecciones enseñadas por Niccolò Machiavelli en sus escritos, usándolas como medios para tener el control sobre las masas y liderar de formas extremadamente egoístas. A menudo, su liderazgo se basaba en ayudarse a sí mismos a vivir vidas increíbles sin importarles mucho la calidad de vida de las personas que les rodeaban.

Los ocho rasgos característicos del poder maquiavélico

Ocho rasgos caracterizan a aquellos que participan del poder maquiavélico. No todos los individuos que emplean el poder maquiavélico tendrán todas estas características, pero tendrán al menos algunas de ellas y probablemente las usen de forma regular.

Los ocho rasgos característicos del poder maquiavélico son:

Falsedad

A los líderes maquiavélicos se les conoce por ser falsos. Actuarán como una persona con usted, pero serán otra a sus espaldas. Rara vez una persona maquiavélica muestra su verdadera cara ni muestran o expresan su yo verdadero a nadie, ni siquiera a las personas más cercanas. La única persona que sabe cómo son de verdad, son ellos mismos, e incluso entonces, probablemente no tengan una comprensión profunda de su propia identidad.

Astucia

A los líderes maquiavélicos se les conoce por tener mucho talento para salirse con la suya y a menudo crean obras maestras. Su éxito es normalmente el resultado de una hábil combinación entre el engaño y la picaresca.

Narcisismo

Prácticamente todo maquiavélico es un narcisista. Su narcisismo es probablemente la razón por la que pueden desvincularse de cosas como la empatía y la compasión, ya que lo más probable es que nunca las hayan experimentado en primer lugar. Los líderes maquiavélicos, como los narcisistas, son exageradamente prepotentes, aunque se suelan retratar a menudo como nobles y humildes. Al final del día, este es un ejemplo de su comportamiento hipócrita.

Creen que el fin justifica los medios

Un líder maquiavélicos cree que, si el resultado es conveniente, no hay nada demasiado inaceptable para alcanzar ese resultado. Se sabe que los maquiavélicos han asesinado, encarcelado y torturado a individuos que se ponen en su camino, a menudo haciéndolo en secreto sin que les atrapen nunca en el acto. Tampoco dudan en emplear a alguien para hacer su trabajo sucio por ellos para que no les pillen o les responsabilicen de sus actos.

Creen que todo el mundo forma parte de su juego

Los líderes maquiavélicos no ven a la gente como individuos; en cambio, ven a la gente como peones en su juego. Para ellos, otros individuos no tienen sentimientos o valores a considerar. Ni siquiera los ven como humanos. Cada interacción que un líder maquiavélico realiza, desde el lugar de trabajo a su vida familiar y cualquier lugar entre medias, es todo parte de un juego para ellos. En este juego, su único objetivo es, o ganar o mantener su poder o influencia sobre otros.

Sobresalen en control y manipulación

Una de las formas clave en que los líderes maquiavélicos obtienen su control es a través de la manipulación. A los líderes maquiavélicos se les conoce por manipular y controlar a otros como un medio para conseguir todo lo que quieran siempre que quieran. El tema de sus tácticas de manipulación es que, en muchos casos, la gente ni siquiera se da cuenta de que está siendo manipulada. En su mayoría, creen que están haciendo lo correcto o que han decidido actuar conforme al líder maquiavélico por su propia cuenta. En realidad, todo fue perfectamente orquestado por el líder maquiavélico.

Prefieren ser temidos que amados

Como cualquiera, un líder maquiavélico quiere ser amado por los demás; la idea de ser amado por otros les gusta. En muchos casos, todo su complot para llegar a la cima se basa en el deseo de que todos le amen. Desafortunadamente, para un maquiavélico, ser amado y ser temido (o "respetado") son sinónimos. Los maquiavélicos no entienden lo que es el verdadero amor, ni saben cómo se siente tener a gente que los quiera voluntariamente, ya que están demasiado ocupados presionando a todo el mundo para que les tema y manipulándoles para que se crean que ese miedo *es* una señal de amor. Aunque un líder maquiavélico nunca diría en voz alta que preferiría ser temido. En cambio, dicen que quieren ser respetados y llevar a creer a otras personas que el temor es una señal de respeto.

Un líder maquiavélico nunca muestra sus motivaciones reales, ni siquiera a aquellos a su alrededor o cercanos a él. Incluso aunque trabaje codo con codo con un maquiavélico, nunca le explicarán lo que realmente quieren conseguir. Las personas en torno al líder maquiavélico frecuentemente hacen cosas por el líder sin comprender totalmente por qué o cómo contribuyen a la causa común. Esto es porque nunca saben exactamente cuál es la causa. El único momento en el que un maquiavélico revela sus verdaderas motivaciones o razones es si, de alguna forma, puede sacarle provecho. Si no, no lo dirán.

Protegerse del poder maquiavélico

Protegerse de los poderes de la psicología oscura, como el poder maquiavélico, viene de entender cómo son estos tipos de poderes. Para muchos, creer que alguien podría ser tan frío y sinvergüenza parece poco realista. Simplemente no creen que nadie pueda comportarse de forma tan inmoral. La realidad es que mucha gente manda con un gobierno maquiavélico, incluso en el mundo de hoy. Mientras que no todos llegarán tan lejos como para cometer crímenes físicos contra otros para incrementar su ganancia personal, sin lugar a dudas utilizarán la guerra psicológica para mejorar sus posibilidades de conseguir sus propios fines.

Los líderes maquiavélicos pueden ser su jefe, un familiar, un político o prácticamente cualquier persona con la que se pueda encontrar en su día a día. No hay pruebas visuales de que alguien sea maquiavélico. Normalmente pasan desapercibidos y nunca son expuestos por lo que realmente son. Esta es la razón por la que mucha gente es embaucada por personas maquiavélicas sin haberse dado nunca cuenta. Si quiere evitar ser embaucado por un Machiavelli, necesita entender exactamente qué es lo que hacen, las tácticas que usan, y cómo son estas tácticas. Esto es lo que vamos a explorar según profundizamos en la conducta humana, la manipulación, el control mental, la persuasión, la negociación, el engaño y la guerra psicológica.

Capítulo 2: Las ocho leyes de la conducta humana

La conducta humana es una cosa bastante complicada, pero está dirigida normalmente por ocho leyes. Estas leyes resumen las motivaciones tras el comportamiento y acciones de la mayoría de la gente y qué es lo que están intentando lograr con todo lo que hacen. También ayudan a determinar si una persona hará algo, o no, basado en cómo se sitúa dentro de las leyes de la conducta. Por ejemplo, a los humanos les motiva su necesidad de saber por qué deberían hacer algo, y no cómo. Por tanto, si está intentando vender algo a alguien, necesita explicar por qué deberían estar interesados, en vez de cómo cambiará sus vidas. Esto permite al individuo entender lo que ganarán y por qué cambiará sus vidas, y después podrán considerar cómo funciona el proceso más tarde.

Las personas maquiavélicas son muy inteligentes, de manera que saben exactamente qué son las ocho leyes de la conducta humana, aunque nunca hayan hecho un esfuerzo por aprender esa información. Viendo, probando y prestando atención, los líderes maquiavélicos saben cómo identificar estas características en la gente y usarlas como fórmula para manipular su comportamiento y conseguir lo que quieren.

En este capítulo, vamos a explorar las ocho leyes de la conducta humana y cómo funcionan, así como la forma en la que la gente con poder usa estas conductas como una oportunidad de manipular a otros y salirse con la suya, a menudo sin que la gente se fije en ellos por su comportamiento manipulador. Según lea estas leyes de la conducta, observe cómo aparecen en su propia vida y cuándo estas leyes le han motivado. Considere cómo pueden usarse en su contra. Al entender estos puntos en su conducta y reconocerlos como puntos débiles frente a manipuladores magistrales, usted puede dirigir su vida con una mayor conciencia y evitar ser embaucado por un manipulador, como un líder maquiavélico.

La gente acepta el reconocimiento y evita la responsabilidad

Las personas destacan por estar predispuestas a aceptar el reconocimiento mientras evitan la responsabilidad. Al hacer eso, se conceden la oportunidad de recibir elogios a pesar de no haber hecho nunca nada por merecerlos. En la mayoría de los casos, el trabajo duro lo completaron otros mientras ellos pasaban el rato y se llevaban el mérito. Vemos esto constantemente en todo el mundo, especialmente con jefes y directivos que rara vez se involucran en el trabajo de la empresa, pero se llevan todo el crédito del éxito que la empresa produce. Este no es un fenómeno entre empresas; es una influencia común tras el comportamiento de mucha gente.

Llevarse el reconocimiento por cosas realizadas, aunque nunca se haya trabajado en ello significa que se siente bien más a menudo que mal. Incluso entre niños, con frecuencia vemos a un niño conseguir realmente algo y otro niño se lleva el mérito de dichos logros, como en trabajos en grupo en el colegio. En estas situaciones, el niño está siendo motivado por el reconocimiento, pero está empujando a que el resto haga el trabajo por él para que no tenga que hacer realmente nada para recibir el reconocimiento. A menudo, esto no se hace con el deseo de ser malicioso o falaz, pero, en cambio, dejan que pase porque el proceso de ser reconocido sienta bien.

Lo más probable es que pueda identificar este comportamiento en su vida con cosas que usted ha hecho. Por ejemplo, a lo mejor empezó una afición nueva o un proyecto empresarial y aceptó los elogios de aquellos que le dijeron que era valiente o tenía talento, pero cuando llegó la hora de sacar adelante su afición o negocio, dejó de esforzarse y todo se vino abajo. En situaciones como esta, puede ser fácil decir que fue una falta de motivación o dirección por la que el proyecto no prosperó y evidentemente puede pasar a la siguiente cosa y continuar con su vida. Sin embargo, ese no es siempre el caso.

La gente que es manipuladora usa esto como una oportunidad para incrementar sus beneficios personales a expensas de aquellos a su alrededor. Un caso famoso en el que pasó esto fue en la relación entre Thomas Edison y Nikola Tesla cuando la electricidad y otros dispositivos electrónicos primitivos se estaban desarrollando hace más de 100 años. En este intercambio, Edison había contratado a Tesla para que trabajara para él, exigiendo a Tesla que trabajara 18 horas al día para completar las tareas de su empleo. Llegados a cierto punto, Edison le propuso a Tesla que, si rediseñaba las dinamos de Edison por completo, le daría $50.000. Cuando Tesla rediseñó el modelo con éxito, Edison le dijo a Tesla que no entendía el humor americano y, en vez del dinero prometido, le ofreció un pequeño aumento por su duro trabajo. Desde entonces, Tesla intentó introducir nuevos modelos de electricidad más eficientes a Edison, pero Edison discrepaba por completo de Tesla e hizo todo lo que pudo por sabotear el éxito de Tesla.

Más tarde, Tesla decidió perseguir su sueño y se fue a otra empresa con George Westinghouse, el propietario de una empresa de electricidad en Pittsburgh. Ahí, Westinghouse financió por completo la investigación de Tesla y le ofreció un acuerdo por los derechos que le aseguraría beneficios por las futuras ventas basado en su próspera investigación. Cuando Tesla demostró su éxito,

Westinghouse se llevó el mérito de los logros de Tesla y dejó que todo el mundo creyese que fue él el que había producido con éxito la nueva forma de electricidad.

Estos no han sido los dos únicos casos donde el maquiavelismo saboteó a Tesla y su reconocimiento por su duro trabajo. A lo largo de los años, mucha gente se apropió de patentes de Tesla y desarrollaron sus propios sistemas y después se responsabilizaron de todo, incluido el trabajo de Tesla que había contribuido a sus sistemas. Un ejemplo famoso es Guglielmo Marconi, que se ha considerado el padre de la radio durante años, aunque sacó sus plantillas del descubrimiento de Tesla. En estas circunstancias, Tesla simplemente no tenía la perspicacia o inteligencia social de los otros, por lo que los demás se aprovecharan de él. No fue hasta hace pocos años, mucho después del fallecimiento de Tesla, que la gente empezó a darse cuenta de que el verdadero genio detrás de estos desarrollos no era otro sino Tesla.

Los manipuladores y la gente con una profunda sed de poder saben que la clave del poder es mantener sus manos limpias mientras que dejan que otros hagan el trabajo sucio por ellos. Los manipuladores prosperan aprovechándose de la gente que tiene una genuina pasión e interés en su trabajo y sus vidas ofreciéndoles la oportunidad de cumplir su pasión mientras que el manipulador se lleva el reconocimiento del trabajo realizado. Así es cómo los manipuladores demuestran que son poderosos, alejándose del trabajo en sí y después robando a otros su merecido mérito. En su lugar, ofrecen al apasionado individuo mínimas cantidades de reconocimiento y pequeñas recompensas por su trabajo mientras que absorben todo el mérito valioso que le ofrecen otros.

Cuando el manipulador no siente que está consiguiendo lo que quiere, a menudo usa tácticas obscenas para intentar manipular a otros para que hagan más para poder recibir mayor reconocimiento. Por ejemplo, cuando Edison hizo una oferta real a Tesla con la cantidad de $50.000, después se rio como si fuera una broma cuando Tesla cumplió su parte del trato. Este tipo de comportamiento con frecuencia ocurre porque los manipuladores no quieren ser responsables de los acuerdos o proposiciones que hacen, pero quieren aparentar ser honestos hasta que consiguen cumplir sus deseos. Tan pronto consiguen lo que quieren, hacen luz de gas a la otra persona hasta que crean que el acuerdo nunca existió o que era diferente de lo que recuerdan y entonces les manipulan para que crean que no tienen que cumplir su parte del trato. Con frecuencia, el manipulador acorralará a la otra persona en una posición donde les es imposible echarse atrás o retirar su oferta, dejándoles con los dolorosos efectos de que otra persona se haya aprovechado de ellos.

La mejor forma de protegerse para evitar que se aprovechen de usted, robándole el mérito, es sintiéndose orgulloso de su trabajo y haciéndose responsable de los acuerdos que hace. Si acepta hacer algo por alguien, guárdese las espaldas y asegúrese de que no hay fisuras o tecnicismos que puedan usar para timarle su recompensa. Nunca deje que otra persona se aproveche de usted y asegúrese de que siempre protege su derecho a hacerse oír y hacerse responsable de su propio trabajo. Si descubre que alguien se está aprovechando de usted, cree la oportunidad para terminar esa conexión para que pueda rodearse de gente que no sea manipuladora y cruel. No se crea lo encantadora que es una persona, deje todo por escrito, y protéjase, aunque no parezca necesario. Nunca sabe cuándo se van a aprovechar de usted. Recuerde, una persona manipuladora o maquiavélica rara vez parece una persona peligrosa hasta que está demasiado sumido en su juego.

La gente hace las cosas por sus propios motivos, no los nuestros

A la gente le mueven sus propios deseos internos, no los deseos de los demás. Incluso en ocasiones en las que parece que a alguien le motivan los deseos de otra persona, la fuerza subyacente es en realidad sus deseos y razones. Por ejemplo, si conoce a un ser querido que fuma y usted quiere que dejen de fumar porque tiene miedo a perderlo por el cáncer. Si usted se pasase cada visita diciéndoles lo peligroso que es fumar y pidiéndoles que lo dejasen porque no quiere perderles, probablemente no dejarían de fumar porque esta razón no es lo suficientemente relevante como para motivarles. Aunque es una causa sincera y amable, simplemente no es *su* razón. Por tanto, no se sienten motivados personalmente por ello. Sin embargo, si esta misma persona enfermara y descubriera que fumar es la principal causa de su enfermedad y quisieran superarla, podrían ver esto como lo suficientemente relevante para motivarles a dejar de fumar. La diferencia clave aquí es que están motivados por algo que es relevante para ellos personalmente, en vez de algo que es importante para usted.

A menudo, si la gente intenta hacer cosas que son importantes para otra persona, pero no para ellos mismos, les será difícil seguir comprometidos con esa causa. Esto no es porque no les importa la gente a su alrededor o sus opiniones, sino que simplemente no están lo suficientemente motivados personalmente como para cambiar por completo su comportamiento. Lo mismo pasa con casi todo el mundo. La gente hace cosas por sus propios motivos, y no por los nuestros.

Los manipuladores se dan cuenta de que necesitan apelar al interés propio de la gente cuando les están reclutando para sus juegos engañosos, de manera que usan este conocimiento para hacer como si fuera la idea de la otra persona en vez de la suya propia. Así es cómo un manipulador puede esconder el hecho de que han orquestado todo porque hacen como si la otra persona hubiese llegado a esa conclusión por sí misma. Este tipo de manipulación es especialmente difícil de reconocer y superar, ya que la gente no quiere admitir que ha sido manipulada o que tomaron una decisión personal para apoyar a alguien en una agenda turbia. Por esa razón, la mayoría de la gente que es manipulada ni si quiera se dará cuenta, y si creen que han sido manipulados, intentarán justificar su situación o esconderla para evitar que les pillen. Admitir que han sido manipulados y que sus acciones han contribuido a algo malo sería doloroso, así que, en muchos casos, el individuo manipulado esconderá la manipulación tan bien que ni ellos la podrán ver. Esto no significa que no están al tanto de ello, sino que han encontrado una forma de justificarla mentalmente o afrontarla para evitar sentir el inmenso dolor o vergüenza que deriva de admitirla.

La gente en el poder sabe que apelar al interés propio le permite a esa persona sentir que han tomado la decisión por sí mismos y, así, deriva el desarrollo del razonamiento personal. En otras palabras, con las tácticas de manipulación adecuadas, cualquier persona puede formular una razón por la que harían algo, aunque ese algo sea aparentemente algo poco característico de quienes son. Los manipuladores o gente que se involucra en cosas como el poder maquiavélico se aprovecharán de esta información y animarán a la gente a elaborar sus propias razones de por qué razón se están involucrando en dicho comportamiento.

Un líder maquiavélico o un manipulador apelará a sus intereses personales intentando, primero, conseguir entender qué valora usted y qué le importa en su vida. Normalmente, la mayoría de la gente tiene valores básicos bastante estándares: familia, felicidad, libertad económica y salud. Sin embargo, cada persona tendrá su propio conjunto único de valores. Un manipulador identificará de forma experta estos valores escuchándole hablar y prestando atención a lo que más habla, especialmente cuando empieza a exhibir muestras de pasión o profundo interés. Entonces, usarán esos valores para manipularle para que formule sus propias razones referentes a por qué debería comportarse de la forma en la que quieren que se comporte usted.

Por ejemplo, su jefe quiere que empiece a contribuir más en el trabajo, pero no está en la posición económica de ofrecerle más dinero. A lo mejor usted ha rechazado esta posición más avanzada porque no está interesado en trabajar más si no supone un aumento de sueldo. Si su jefe fuese un líder maquiavélico y supiese que usted valora aflojar el ritmo y vigilar su salud, probablemente diría algo como: "Qué pena. Me imagino que a su edad podría beneficiarse de hacer menos trabajo físico y pasar más tiempo relajándose en una oficina nueva". Esto puede provocar que piense que debe aceptar ese puesto debido a los beneficios de poder estar más tiempo sentado y descansar los pies. En realidad, acabaría trabajando más, aunque fuese menos físico y puede acabar suponiendo un incremento en sus niveles de estrés. Sin embargo, la forma en que su jefe lo plantea le lleva a pensar que tiene razones personales por las que considerar la oferta, llevándole a que probablemente cambie su respuesta por un "sí" en vez de quedarse con su "no" original.

La mejor forma de evitar que alguien le manipule a través de su propio sentido de la razón es asegurarse de que desarrolla una conciencia sobre sí mismo y de que tiene un profundo entendimiento de lo que de verdad le importa y por qué. Cada vez que alguien le plantee opciones o una decisión, tenga siempre en cuenta sus valores y considere sinceramente lo que le importa a usted y qué opción verdaderamente satisface sus necesidades. Siempre tenga en mente sus objetivos a largo plazo. La mayoría de los manipuladores intentarán manipularle asumiendo que usted solo considerará el beneficio inmediato y que no considerará las consecuencias a largo plazo que se pueda encontrar si no consigue esos beneficios. Al prestar atención a lo que puede ganar (o perder) en el futuro, se otorga la oportunidad de considerar genuinamente todos los pros y contras de cada decisión que tome y escoja basado en lo que satisface sus necesidades en vez de lo que satisface las necesidades de otra persona.

También puede protegerse teniendo en cuenta lo que dice otra persona y considerar sinceramente la naturaleza de por qué lo está diciendo. Por ejemplo, con la situación anterior, su jefe no estaba preocupado por su salud, quería que aceptase su oferta y estaba intentando manipularle para que la aceptara. La naturaleza de su opinión no era sincera ni considerada respecto a sus necesidades, sino que estaba basada en las necesidades de su jefe y estaban encaminadas a moldear su opinión. Cada vez que experimente que pasa algo como esto, piense de forma crítica sobre la situación y realice tareas de detective sobre la misma oferta. Lo más probable es que su decisión no sea realmente buena para usted, sino que, en cambio, haya sido ofrecida por la otra persona esperando conseguir algo de usted, sin importar si usted quiere, o no, ofrecer eso en primer lugar.

La gente rara vez cambia de parecer, aunque les demuestren que están equivocados

Otra forma en la que los manipuladores usarán su razonamiento en su beneficio es conseguir que se apunte a sus planes sabiendo que es poco probable que usted se eche atrás una vez ya se haya comprometido. Hacer que alguien cambie de parecer es mucho más difícil que conseguir que tomen una decisión inicial, ya que la mayoría de la gente se mantiene fiel a su juicio inicial sobre algo, aunque se presente información alternativa o negativa más tarde. Este se debe a que defender la postura de sus creencias originales le mantiene unido con el grupo con el que se identifica ahora. Por ejemplo, si es republicano, pero se da cuenta de que los demócratas representan mejor sus creencias, puede que siga apoyando a los republicanos, aunque sepa que no representan sus mejores intereses, pero no quiere perder *su grupo*. La psicología ha demostrado que mantenerse conectado con su grupo escogido en realidad estimula las vías de recompensa en su cerebro. De igual manera, intentar salirse de su grupo seleccionado, aunque desee unirse a un nuevo grupo, puede desencadenar las mismas respuestas que producen los síntomas del síndrome de abstinencia. Esto significa que su cerebro está literalmente configurado para que sea fiel a su decisión original, aunque ya no piense de la forma en la que lo hacía antes. Cambiar de parecer y escoger un nuevo camino, grupo o etiqueta con la que identificarse, al final requiere que esté dispuesto a sufrir esos síntomas dolorosos para que pueda ajustar su perspectiva y escoger una nueva opción.

Para la mayoría de la gente, en vez de intentar soportar las penurias de cambiar de opinión, se sumergen en lo que se conoce como disonancia cognitiva. La disonancia cognitiva ocurre cuando sus creencias son contradictorias; creando, por tanto, una disonancia entre ellas. Por ejemplo, si usted cree que todo los ricos son malos, pero a la vez cree que tiene que ser rico para tener una buena vida, experimentará disonancia. Su cerebro, como es natural, intentará eliminar la disonancia porque esta crea caos y malestar en sus pensamientos. Usted, o seguirá siendo pobre y vivirá una mala vida o conseguirá ser rico y convertirse en una mala persona. Ninguna de las dos opciones es apetecible, de manera que su cerebro intenta superarlo. Su cerebro aguanta creando cambios lo más pequeños posibles para mantener su sistema de creencias y dejarlo lo más cerca posible de lo normal. Por esta razón, es poco probable que su opinión sobre sus dos creencias básicas cambie. Probablemente continúe pensando que ser rico significa ser una mala persona y que ser pobre significa que está viviendo una mala vida. En vez de cambiar por completo sus creencias esenciales, es más probable que desarrolle un nuevo valor, como uno que diga que ser una mala persona no es necesariamente algo tan malo, o que vivir una mala vida no suena tan mal como parece. Estas nuevas creencias están diseñadas para compensar la disonancia mientras que le permiten seguir cumpliendo con sus ideas originales. A través de este comportamiento subconsciente, usted puede evitar tener que cambiar completamente sus creencias y opiniones para que pueda seguir pensando de la misma forma que siempre lo ha hecho mientras que crea la oportunidad de sentirse bien sobre usted mismo y sus decisiones.

La gente manipuladora sabe que una vez ha tomado una decisión, es poco probable que cambie de idea. En cambio, es probable que cree nuevas creencias u opiniones para apoyar su posición actual. Esto es muy parecido a lo que pasa cuando escoge con las emociones y apoya con la lógica; usted tomará una decisión y después, subconscientemente, buscará lidiar con su decisión fabricando hechos que la respalden y así le permitan sentirse bien con sus creencias. Esto significa que si un manipulador consigue que diga sí o le apoye para algo, aunque después descubra que es una mala persona o que sus motivaciones eran pobres, es poco probable que les dé la espalda. El proceso de cambiar de opinión requiere que admita que su idea inicial era errónea y que, por un periodo de tiempo, estaba apoyando algo que era infructuoso o que incluso podía haber ido en contra de sus valores esenciales. Hacer esto puede ser emocionalmente doloroso y puede venir acompañado de sentimientos como la vergüenza, deshonra, culpa y miedo. La mayoría de la gente quiere evitar estos sentimientos, de manera que simplemente continúan con su opinión inicial y, en realidad, nunca cambian de parecer.

Una persona manipuladora primero usará la información en su beneficio presentándole información seleccionada para convencerle de lo que necesite que haga por ella. Normalmente, no le dirá nada negativo sobre la situación hasta después de que haya acordado apoyarla o respaldarla en su decisión. Incluso entonces, una verdadera persona maquiavélica solo le presentará la mínima cantidad de información negativa. Es más probable que sea apuñalado por la espalda con las partes negativas más tarde antes de que realmente un maquiavélico se las cuente, a no ser que sea un pedazo de información necesaria.

Sabiendo que los manipuladores y la gente que usa el poder maquiavélico usan su lógica y su razonamiento de esta forma, significa que puede protegerse permitiéndose cambiar de opinión. Si se da cuenta de que ha estado apoyando a alguien y descubre más tarde que están errados o son malos, no continúe apoyándoles porque le asusta admitir que lo sabe. En cambio, permítase estar dispuesto a admitir su error e informarse sobre cómo hacerlo mejor de ahora en adelante. Ser abierto y honesto con usted mismo y reservarse el derecho a cambiar de parecer significa que si se encuentra en la situación de darse cuenta de que está apoyando a un manipulador o a un maquiavélico, usted puede parar y alinearse con alguien o algo que realmente apoya sus valores.

Otra forma de evitar que este tipo de manipulación surta efecto en usted es reconocer cualquier momento en el que usted produce nuevas creencias u opiniones que usa para respaldar sus valores esenciales actuales. Si piensa que está trabajando demasiado duro para respaldar sus actuales creencias por tener que compensarlas y justificarlas constantemente, puede que sea porque en este momento no le funcionan de la forma en la que deberían. Reflexionar seriamente sobre sus creencias y cómo pueden estar representando de forma equivocada su honesta opinión, es la mejor forma de asegurarse de que no está aferrándose a creencias que no le representan de forma precisa. Una vez haya abordado estos valores desviados, usted puede empezar a cambiar su perspectiva al nivel de sus creencias originales; permitiendo, por tanto, que se mantenga en control de su punto de vista para prevenir que siga ciega y lealmente a los manipuladores por caminos no deseados.

La gente toma decisiones según sus emociones y las justifica con hechos

A la gente le mueven sus emociones, no los hechos. Aunque la información objetiva es importante para mucha gente, la mayoría primero tomará una decisión basada en sus emociones y posteriormente buscará la información verídica necesaria para justificar su decisión. Mucha gente usa esta información en su beneficio a la hora de influir el comportamiento de otras personas, especialmente en el mundo corporativo. No es poco común que agentes de ventas y líderes corporativos le digan exactamente lo que quiere oír primero, interesando a sus emociones y animándole a sentirse bien tomando una decisión. Entonces, seguirán con hechos que refuercen esas emociones para que realmente esté involucrado con esa decisión y sienta que es lo correcto para usted. En la mayoría de los casos, la gente hará poco a la hora de usar información verídica, a no ser que esos hechos apoyen directamente su toma de decisiones emocional. Saben que si consiguen que esté de acuerdo emocionalmente con lo que quieren o necesitan de usted, entonces usted producirá por sí mismo los hechos para justificar su elección.

No todos usarán la toma de decisiones emocional en su contra, pero la realidad es que esta es una de las habilidades más conocidas y enseñadas en industrias como las ventas y el *marketing*. Por esa razón, es importante que entienda cómo es vulnerable desde esta perspectiva y qué puede hacer para evitar ser embaucado por alguien que puede estar intentando usar esta vulnerabilidad para aprovecharse de usted.

El comportamiento de decidir con emoción y justificarlo con hechos es en realidad un ciclo psicológico fascinante que funciona de una forma increíble. Es especialmente común en ventas, aunque puede pasar en prácticamente cualquier decisión que necesite tomar en su vida, como escoger con quién casarse o qué amigos quiere conservar en su vida. El ciclo primero se inicia cuando experimenta una fuerza subconsciente o intuitiva para decidirse por una cierta dirección sobre algo, como cuando va a una tienda y siente el impulso de comprar un determinado par de zapatos que le gustan. Entonces, una vez este impulso intuitivo emerge, su mente consciente inmediatamente empezará a buscar razones racionales por las que debería comprar esos zapatos. Una vez haya descubierto algunas razones racionales que puede defender, el círculo se completará: esas razones se usan para justificar su señal emocional, de manera que sigue adelante y completa la compra.

La razón por la que este ciclo puede ser tan peligroso es que la mayoría de la gente no es consciente de ello o no lo admite. De hecho, mucha gente, empresas o especialistas de *marketing* que están intentando que tome una decisión apelarán a su mente racional en vez de a su mente emocional, intentando que usted justifique su decisión de forma racional. Como resultado, es bastante sencillo sentir que está en control, ya que, mentalmente, usted está tomando la mayoría de sus decisiones desde su mente racional, permitiéndole darse cuenta de cosas como "no, no quiero gastarme ese dinero" o "no, realmente no necesito eso" o "no, en realidad no estoy interesado en hacer eso". Tan pronto como dejan de apelar a su mente racional, sin embargo, pasa a ser mucho más difícil para usted mantenerse en control. La gente manipuladora lo sabe.

A diferencia de aquellos que intentan apelar a su mente racional, los manipuladores intentarán apelar a su mente emocional. Saben cómo estimular emociones específicas, o sueños de emociones específicas, dentro de su mente, para que empiece a experimentar esa fuerza intuitiva a decir sí o aceptar lo que le han ofrecido. Así es cómo muchos políticos, vendedores y manipuladores expertos han atraído a grupos de gente tan grandes y aumentado el número de seguidores leales. Lo hacen apelando a las emociones de su público objetivo y ofreciendo cosas que le hacen *sentirse* bien a su público. Después, justifican sus decisiones con hechos para ayudar a su público a sentir que la decisión que han tomado tiene sentido. En muchos casos, esos hechos ni siquiera están completos y, a veces, ni son completamente relevantes respecto al tema tratado. Sin embargo, debido a que ya han conseguido que sus seguidores estén de acuerdo a un nivel emocional, pueden mantener el acuerdo y apoyar a su público para que se sientan bien sobre ello con pequeñas cantidades de hechos para mantener sus mentes racionales en paz.

Este tipo de manipulación es especialmente común en relaciones personales, como aquellas entre amantes, amigos o familiares. En estas relaciones, usted tiende a sentir una conexión emocional con la otra persona que le deja continuamente buscando razones lógicas para justificar su deseo de permanecer en la relación, aunque sea tóxica para usted. Esta es la razón por la que mucha gente se siente atrapada en relaciones tóxicas o peligrosamente abusivas, ya que sus emociones juegan a favor de la persona tóxica o abusiva y su lógica continuamente busca sostener su decisión de quedarse. La gente abusiva sabe esto y a menudo lo usa como método para manipular a la gente para que se quede en relaciones con ellos, incluso aunque la otra persona sea consciente de ello. Este es el motivo por el que, incluso la gente que no se considera particularmente vulnerable a relaciones abusivas, pueden ser atadas y victimizadas por el abuso:

porque nadie es completamente inmune a esta forma de manipulación.

La mejor forma en la que puede protegerse contra ser arrastrado a tácticas manipulativas a través de sus emociones es tomándose las cosas con más calma y pensar críticamente sobre todo en lo que se está involucrando cuando su interés inicial estaba basado en emociones. Siempre que se sienta emocionalmente sobrecargado como para tomar una decisión, especialmente si esa decisión parece demasiado buena para ser cierta, pare y permítase un momento para pensar racionalmente y buscar hechos objetivos relacionados con la decisión que está esperando tomar. Considere sinceramente si va a ser una buena decisión para usted o no, y después tome la decisión basada en su pensamiento racional, incluso aunque parezca difícil o incómoda. Si siente que sinceramente no puede hacerlo, primero busque hechos honestos y después compruebe esos hechos determinando cómo se sentirán sus emociones a largo plazo. Por ejemplo, si tiene miedo de terminar una relación tóxica porque está asustado de estar solo y de que nunca más volverá a ser feliz. Siendo realistas, esto no es verdad, y esto es solo su mente emocional intentando controlar su lógica. Reconociendo que realmente puede rodearse de gente positiva y sentir una sensación de felicidad mucho mayor después de terminar una relación tóxica (ya que tendrá más energía para contribuir a otras relaciones en su vida), esto se convierte en una decisión mucho más fácil. Siempre busque tomar sus decisiones de la forma más objetiva posible y esté dispuesto a tener en cuenta alternativas y el futuro a largo plazo si le está costando tomar una decisión que realmente va a ayudarle a sentirse lo mejor posible.

La gente quiere pensar que pueden controlar sus vidas

Como humano, usted nunca quiere sentirse como que no tiene control sobre su vida o las decisiones que toma. Por esta razón, usted intentará evitar tomar decisiones respecto a cosas sobre las que piensa que no tiene una opción real. Puede que se haya dado cuenta de que cada vez que pasa tiempo con otro humano que es particularmente controlador, siente que no era grato pasar tiempo con esa persona y puede que incluso haya terminado la relación. Esto se debe a que pasar tiempo con esta persona le arrebató su sensación de control y la experiencia en general era incómoda.

Mantenerse en control sienta bien, ya que se siente como libertad, y la libertad es algo que los humanos anhelamos. No nos gusta que nos restrinjan por los sentimientos de presión o sentir que ya no podemos tomar nuestras propias decisiones. Estos tipos de sentimientos pueden provocar miedo y malestar. Esta es la razón por la que el mundo occidental entero está construido sobre el concepto de *libertad*. Siendo realistas, no somos libres, pero pensamos que lo somos porque tenemos el poder de tomar muchas de nuestras propias decisiones vitales, como dónde vamos a trabajar, dónde vamos a vivir y con quién nos casaremos.

Si fuésemos realmente libres, seríamos capaces de hacer cualquier cosa sin experimentar ninguna repercusión negativa por nuestras decisiones. Naturalmente, esto tendría consecuencias muy serias. En una sociedad verdaderamente libre, alguien podría cometer un crimen serio y nunca ser juzgado por sus acciones, ya que tenía la libertad de comportarse de esa manera. Por tanto, los países con una democracia producen una sensación de libertad operando una estructura que nos da opciones. Al tener una sociedad forjada en opciones, sentimos como si estuviéramos experimentando libertad, pero lo que realmente estamos viviendo es la oportunidad de escoger entre una serie de opciones controladas. En otras palabras, nuestra vida está construida por preguntas tipo test donde las respuestas son limitadas, pero igualmente nos ofrecen opciones.

Idealmente, una sociedad forjada de esta forma todavía debería poseer una cantidad de libertad bastante saludable porque la gente todavía puede tomar abundantes decisiones sobre sus vidas. Desgraciadamente, construir una sociedad de esta forma también puede conllevar muchas dificultades cuando solo un número selecto reducido está a cargo de las decisiones que podemos tomar. Estas limitaciones y dificultades tampoco están restringidas a sociedades y gobiernos. De hecho, las decisiones controladas se usan de formas muy diferentes en la sociedad. Por ejemplo, cada vez que se pasea por una tienda y va a comprar algo, usted se enfrenta a decisiones controladas basadas en el número de productos disponibles para usted y, aunque estos artículos varían, esta variación es restringida. Por ejemplo, puede haber un número de colores reducido o un número de variaciones limitadas creadas para cada estilo de ropa que están disponibles para que usted compre. En esta circunstancia, parece que usted tiene opciones, pero, en realidad, estas opciones están controladas o limitadas. Hay solo un número determinado de opciones entre las que escoger.

Esto puede parecer un tanto manipulador o restrictivo, pero, en muchos casos, este tipo de práctica de control de decisión no pretende ser manipulador. En la mayoría de las circunstancias, el número limitado de opciones está basado en el hecho de que simplemente sería demasiado difícil ofrecer absolutamente todas las opciones. Por ejemplo, una única tienda de ropa simplemente no puede ofrecer cada uno de los estilos de ropa en todos los colores existentes. Esto sería caro e insostenible, así que es algo que las empresas de ropa no ofrecen. Lo mismo pasa con la política: intentar ofrecer cada opción posible sería casi imposible. Asimismo, ofrecer demasiadas opciones deja a la gente con dificultades para tomar decisiones, ya que hay simplemente demasiadas cosas a tener en cuenta, de manera que terminan abrumando. En la situación en la que quiere que la gente compre algo o vote por algo, tener demasiadas opciones impide la habilidad de su público para tomar una decisión, dejándole con dificultad para conseguir ventas o llegar a una conclusión sólida. Por esa razón, las decisiones controladas son en realidad una solución productiva y puede ser extremadamente útil en la mayoría de las circunstancias.

Igualmente, hay muchas ocasiones donde la gente puede usar el proceso de decisión controlado como forma para manipular a otra gente para que tomen la decisión basada en las preferencias del manipulador. Hay un dicho que dice: "si consigue que el pájaro se meta por si mismo en la jaula, su canto será mucho más bello". En otras palabras, si un manipulador consigue que usted decida hacer algo por su cuenta, no solo usted acabará haciéndolo, sino que además lo hará bien porque cree que fue su elección el llegar hasta ahí. Sabiendo esto, los manipuladores combinarán las decisiones controladas con otras tácticas, como jugar con sus emociones, para conseguir que decidan a su favor. Mediante este tipo de comportamiento, pueden decir sinceramente que usted está haciendo únicamente lo que acordó hacer y que usted tomó tal decisión porque era la decisión adecuada para usted. Es difícil ir contra esta lógica, ya que raramente existe una forma de probar que usted fue manipulado para creer que esa decisión fue su decisión cuando en realidad nunca habría llegado a esa conclusión por su cuenta. Puede desembocar en sentimientos de baja autoestima si se encuentra preguntándose por qué y cómo acabó presa de esta manipulación. Mucha gente que ha sido manipulada de esta forma se suele preguntar cosas como "¿por qué nunca puedo tomar una decisión decente?" o "¿por qué soy tan estúpido?" porque el manipulador le lleva a creer que no hubo ningún tipo de manipulación, aunque la hubiese. Si esto pasa lo suficientemente a menudo, su autoestima y su valoración de sí mismo disminuyen y se hace incluso más fácil para ellos manipularle, porque ya no confía en usted mismo o en su capacidad para tomar decisiones.

En muchos casos, no hay mucho que pueda hacer para evitar las repercusiones de las prácticas manipulativas de control de decisiones. Por ejemplo, no puede obligar a una tienda a ofrecer más productos o forzar a un gobierno a comportarse de una forma específica que es más considerada con la gente a la que se supone que debe cuidar. Aunque estos cambios pueden producirse, a menudo llevan tiempo y persistencia. Para que ocurran, un número de personas tendrán que unirse al carro de estos mismo objetivos y trabajar juntos para presionar a empresas o gobiernos para que cambien las opciones disponibles para que estas sean favorables. Esto puede ayudar a minimizar la cantidad de manipulación negativa que tiene lugar y optimizar el sistema de toma de decisiones controlada para funcionar en favor de la gente que se supone debe servir. Aún así, incluso con un gran número de gente de acuerdo, puede llevar tiempo y presión constante para conseguir que estos cambios ocurran.

La mejor forma de evitar ser sometido a este tipo de comportamientos manipuladores es reconocerlos cuando están ocurriendo y educarse sobre las opciones disponibles para usted y qué derechos tiene en su posición. Si está siendo expuesto a decisiones controladas manipuladoras por alguien o algo que pueda evitar, eludir a esa persona o lugar puede ser su mejor opción para evitar ser manipulado. Sin embargo, si está siendo forzado a tomar una decisión, tome una decisión que vaya a funcionar en su mejor interés y después, si realmente significa algo importante para usted, aprenda sobre cómo puede contribuir a hacer un sistema mejor para que sus opciones sean más razonables en el futuro.

También debería tener cuidado de cualquiera que esté intentando presionarle para tomar decisiones dándole opciones limitadas, especialmente cuando estas opciones limitadas no parecen favorables, y la decisión se está practicando con presión. Por ejemplo, imagine que alguien está intentando venderle algo y le presentan solo dos opciones. Según le presentan estas dos opciones, empezarán a aplicar una presión importante y empezarán a bombardearle con razones por las que una opción es mejor que la otra. Es probable que este tipo de caso incluya manipulación, ya que esta persona está intentando presionarle para que sienta que sus únicas opciones son comprar una o la otra. Al bombardearle con información y aplicar presión, están intentando animarle a olvidar que decir *no* también es una opción. A través de esta táctica, pueden conseguir que compre algo de ellos, aunque no lo necesitase ni lo quisiese en un principio. Este tipo de comportamiento es manipulador y puede desembocar en que tome decisiones indeseables porque usted piensa que no tiene ningún control sobre la situación. Para evitar este tipo de experiencias, lo mejor que puede hacer por usted es recordar que *no* siempre es una opción y empoderarse para decir *no* cuando las opciones que se le presentan no son razonables. De esta forma, puede evitar tomar decisiones no deseadas cuando está estresado porque recordará cómo retomar el control y tomar decisiones racionales que realmente encajan con sus necesidades o deseos.

La gente quiere formar parte de algo más grande que ellos

A los humanos les motiva su necesidad de ser parte de una comunidad. Nuestro anhelo de amor, aceptación, y compañía nos mantiene constantemente buscando algo de lo que formar parte. La mayoría de nosotros no nos sentimos *completos* a no ser que seamos parte de algo más grande que nosotros mismos, a menudo en línea con un grupo más grande de gente. Esta es la razón por la que mucha gente apoya cosas como las religiones y culturas, porque estas son oportunidades de ser parte de algo más grande. Juntos, la comunidad se une para ser parte de algo importante, a menudo involucrando tradiciones como una forma de mantenerse trabajando hacia algo que tiene un propósito. Basado en esta necesidad o ley de comportamiento particular, la gente se siente atraída hacia varios grupos que son más grandes que ellos mismos y que están en línea con sus creencias y valores esenciales.

El tipo de poder que originalmente tiene la intención de manipular a la gente basado en esta naturaleza humana son los charlatanes. En un principio, los charlatanes se centraban en crear pequeños grupos en torno a ellos mismos y después les vendían cosas como elixires mágicos que prometían que concedían bendiciones como inmortalidad y salud superior. Un día, se tropezaron accidentalmente con esta ley de la naturaleza humana cuando vieron que los grupos a su alrededor se hacían más y más grandes. Tal y como descubrieron, cuanto más grande se hace el grupo, más poderosos son capaces de ser. De hecho, se vuelven tan poderosos que incluso cuando la gente se da cuenta de que sus elixires a menudo son falsos, sus otros seguidores leales les defienden y protegen frente a los descreídos. Cualquier deficiencia en sus ideas será escondida por la masa de seguidores y la devoción que sus *fans* tienen por ellos y sus *habilidades*.

Durante muchas décadas, los charlatanes aprendieron a refinar y proteger el arte de formar grandes multitudes y lo harían de nuevo, una y otra vez, moldeando sus muchedumbres en leales seguidores y convirtiéndoles en una secta. Una vez las mentes de sus seguidores han sido moldeadas, el charlatán es capaz de mantener su poder y control y puede garantizar que podría llevar una vida próspera y abundante que será protegida por sus seguidores.

Como puede ver a través del charlatanismo, usar esta ley humana básica en la forma de manipulación puede resultar rápidamente en cantidades masivas de gente barrida y arrastrada por la corriente antes de que incluso sepan lo que les está pasando. En la mayoría de los casos, esta gente bien intencionada no tiene ningún deseo de formar parte de una secta, pero en cambio, están siguiendo simplemente su necesidad subconsciente de ser parte de algo más grande que ellos mismos. Acaban en sectas cuando no pueden entender las tácticas del charlatán o del líder de la secta y, a menudo, no tienen ni idea de que están dentro de una secta en primer lugar. Esto es porque han sido manipulados con éxito por el líder para creer que están haciendo algo por el bien común de la sociedad y creen que nadie que esté haciendo lo mismo puede ser peligroso, malvado o simplemente estar equivocado.

Para evitar ser víctima de esta peligrosa forma de manipulación, usted debe entender cómo funciona el charlatanismo y cómo estos individuos pueden usar la manipulación para liderar a gente para formar una secta en torno a ellos. Es importante que se dé cuenta de que las sectas no siempre se parecen a la imagen que tenemos de lo que puede ser una secta. No siempre se trata de pagar dinero para unirse al grupo y seguir ciegamente al líder mientras que una persona claramente se aprovecha de la ignorancia de los demás. Las sectas son de todas las formas y tamaños y no siempre siguen la misma estructura obvia que las sectas tradicionales. Por ejemplo, a muchas personas y marcas famosas podrían considerarse como líderes de sectas porque amasan cantidades masivas de seguidores que creen profundamente en ellos y su propósito y que les defenderán pase lo que pase. Incluso cuando esa persona o marca hace algo *malo* o *equivocado*, sus seguidores encontrarán una forma de justificarlo y esconderlo para que no arriesguen perder su conexión con la comunidad de la que están rodeados.

La mejor forma de entender cómo funcionan los charlatanes y las sectas es entender cómo se construyen. Esto no es para que usted vaya ahora a desarrollar su propia secta, sino para que pueda entender la metodología detrás de estas y evitar ser arrastrado a una y crear inmunidad a las tácticas de manipulación que utilizan. Al tener un profundo entendimiento de los cinco pasos utilizados para construir una secta, usted puede informarse sobre cómo son estos pasos y evitar ser embaucado por ellos.

El primer paso para construir una secta es atraer la atención y aumentar el interés de la gente que pueda estar dispuesta a unirse a una secta. La mayoría de la gente hará esto, no a través de acciones transparentes, sino a través de palabras engañosas que no explican completamente todo lo que debería saber. Normalmente, intentarán mantener la cantidad de información que se ofrece bastante reducida y lo que digan será bastante vago para que parezca que son brillantes, pero, en realidad, no están compartiendo nada revolucionario o diferente. En cambio, simplemente están usando la manipulación para inspirar su interés y que tenga curiosidad sobre lo que están haciendo y por qué parece que les está funcionando tan bien. A menudo, lo que sí comparten estará más centrado en los resultados y, especialmente, los sentimientos y visiones de una fantasía colorida que saben que otra gente quiere experimentar. Saben que a medida que se va involucrando emocionalmente, usted verá lo que quiere ver y, como ahora sabe, usted sacará conclusiones lógicas por sí mismo para cimentar su apoyo y mantener su interés. La mejor forma de evitar ser manipulado por este tipo de acciones es preguntar por detalles muy específicos y ver cómo responde el embaucador. Si están intentando manipularle, les costará sacar una respuesta significativa o directa a sus preguntas, demostrando que usted está, en efecto, siendo engañado por ellos y sus formas insustanciales. Siempre asegúrese de que cuestiona todo y sea muy crítico sobre la claridad de las respuestas que le ofrecen. Si hay algo que no cuadra para usted, no intente buscarle sentido. En vez de eso, pase página y dese cuenta de que probablemente no hay ningún sentido lógico para eso, ya que toda la oferta está basada en la manipulación.

Una vez un charlatán le ha atraído con interés basado en información vaga, siempre usarán el proceso de venderle a través de descripciones visuales y sensuales en vez de intelectuales. Esto es porque un embaucador no quiere que usted se aburra o empiece a pensar de forma crítica. Usted se dará cuenta de que hay muchos defectos en su oferta. Por esa razón, si descubre que una persona está constantemente compartiendo con usted imágenes de ensueño y fantasías elegantemente formuladas, pero nunca se adentra en el *porqué* y el *cómo* del asunto, tenga cuidado. Lo más probable es que el razonamiento es muy gráfico y los beneficios que puede obtener son minúsculos, si es que hay alguno.

Otra táctica que algunos charlatanes intentarán usar para producir sus resultados deseados es tomar prestadas formas de religiones organizadas y otros grupos organizados para enmascarar su poder real. Por ejemplo, en algunos cultos religiosos, el líder no se referirá a sí mismo como un dictador, aunque esté liderando al grupo con un estilo de liderazgo dictatorial. En cambio, se refiere a él mismo como un *cura, gurú* o *chamán* o cualquier otra palabra que pueda usar para esconder lo que realmente está intentando hacer. Es importante que usted entienda que no todo el mundo que se identifica con estas etiquetas está realmente intentando manipularle: muchos que reclaman que se identifican con estas etiquetas verdaderamente lo hacen. Sin embargo, si encuentra a alguien usando este tipo de etiquetas mientras que también se identifican con otras cualidades de charlatán, tenga cuidado. Lo más probable es que estén intentando manipularle.

El cuarto paso, a la hora de crear una secta como un embaucador, es enmascarar su verdadera fuente de ingresos y hacer como si usted fuese muy rico por cuestiones de suerte o azar y no porque saca el dinero directamente de sus seguidores. Si ve que alguien se está rodeando de lujo y alardeando de su riqueza sin explicar nunca claramente de dónde sale o que la obtiene de una fuente poco sólida, como la venta de productos de baja calidad de los que nunca ha oído hablar, tenga cuidado. Lo más probable es que el dinero venga de estafar a gente y tomando dinero directamente de sus seguidores y que realmente no tiene nada que ver con su estructura propuesta. Si no puede mostrar claramente de dónde viene su riqueza y cómo se produce, probablemente esté intentando usar métodos ostentosos del charlatanismo para encubrir el hecho de que su riqueza viene de sus seguidores.

Por último, el embaucador siempre intentará crear un sistema de *nosotros contra ellos* dentro de sus grupos que parecerá dejar siempre a su grupo en desacuerdo con el resto del mundo. Si un charlatán manipulador le está embaucando, lo sabrá porque siempre intentarán distorsionar subliminalmente la dinámica de sus seguidores para animarlos a dividir a su culto respecto al resto del mundo. Con esta dinámica, el charlatán sabe que será protegido fielmente por el hecho de que un humano nunca cambiará su mentalidad porque no quiere perder a su grupo. Por tanto, protegerán apasionadamente al embaucador para proteger su posición y mantenerse estrechamente vinculado con el grupo con el que se han ido identificando poco a poco, aunque no tenga ninguna lógica o sentido racional para nadie, ni siquiera para ellos.

La gente quiere saber por qué deberían hacer algo en vez de cómo

En nuestra sociedad, la palabra "porque" es una palabra muy poderosa que anima a casi todo el mundo a hacer casi cualquier cosa. Esto es porque la palabra "porque" responde a la pregunta que todo el mundo se hace: "por qué". La gente está profundamente motivada por entender las razones por las que deberían hacer algo, y no por cómo se hace. A la mayoría de los humanos no les importará cómo se les pide que hagan algo mientras que entiendan las razones por las que se les pide, aunque la razón no sea necesariamente significativa o determinante. Los psicólogos teorizan que esto viene de nuestra infancia y del condicionamiento que recibimos de nuestros padres cuando usan afirmaciones como "porque lo digo yo". Por ejemplo, si su progenitor le pidiese que hiciese sus deberes antes de jugar en la calle y usted le dijese "¿por qué?", probablemente le contestase con algo como "porque lo digo yo" o "porque te he dicho que lo hagas". La teoría es que nos acostumbramos tanto a que "porque" significase que no hay otra solución que ya no le prestamos mucha atención a lo que sigue a la palabra "porque".

Nos han condicionado para darnos cuenta de que "porque" significa que es importante y que probablemente no tenemos otra opción. Esto no es porque verdaderamente no haya otra opción, sino simplemente porque hemos sido condicionados a creer que no hay una, o que no merece la pena considerar la otra opción, ya que puede conllevar consecuencias indeseadas. Según todo esto, la mayoría de la gente no prestará realmente atención a lo que se dice después de la palabra *"porque"*, ya que han sido condicionados a creer que no es necesario. La palabra en sí supone que es importante y que necesita hacerse. Esto fue probado por un psicólogo que quería probar si la teoría funcionaba. Lo hizo mandando a una persona a una oficina donde había una fila de gente esperando a usar la fotocopiadora. El primer día, la persona enviada preguntó a la gente formando la fila, "¿puedo usar la fotocopiadora? Tengo que hacer fotocopias". Ese día el 60% de la gente esperando en la fila dijo que sí, aunque todos estaban esperando para hacer lo mismo. Al día siguiente, mandaron a otra persona, que preguntó "¿puedo usar la fotocopiadora porque tengo mucha prisa?" y ese día el 94% de la gente permitió a la persona ir al principio de la fila, aunque todo el mundo estaba esperando para hacer lo mismo. El último día, mandaron a otra persona que preguntó "¿puedo usar la fotocopiadora porque necesito hacer 5 fotocopias?" y en ese día el 93% permitió que la persona se colara en primer lugar, a pesar del hecho de que el razonamiento era bastante irrelevante y no tenía mucho sentido.

Lo que el psicólogo demostró era que la gente estaba un 30% más dispuesta a aceptar algo simplemente porque alguien usó la palabra "porque" para aportar significado a la petición, aunque el significado fuese falaz o flojo. En la mayoría de los casos, esta forma de condicionamiento y conducta humana no supone mucho en su día a día. La mayoría de las cosas que escucha y con las que está de acuerdo no van a tener ninguna forma de impacto negativo en usted. Además, es poco probable que incluso la mayoría de la gente se dé cuenta de este comportamiento, por lo que es muy poco probable que la gente use la palabra "porque" para intentar manipularle para que haga algo que no quiere hacer.

La única vez que la palabra "porque" perderá su impacto en la gente es si el razonamiento es más largo. Si la razón es más larga que una frase corta, es poco probable que la persona que escucha sea engañada, ya que tiene que empezar a escuchar de nuevo para oír lo que realmente está pasando. Por ejemplo, si alguien dice "este acondicionador de pelo es el mejor porque tiene sales del Mar Muerto", probablemente cumpla con lo que le están pidiendo, como comprar el acondicionador. Sin embargo, si le dicen que "este acondicionador de pelo es el mejor porque tiene sales del Mar Muerto, que exfolian su cuero cabelludo y añaden volumen a su pelo para que pueda combatir el pelo lacio y la caspa", lo han alargado demasiado. En este punto, usted ya habrá vuelto a prestar atención y a escuchar activamente de nuevo, por lo que su mente racional está atenta y puede formular una opinión sobre lo que han dicho. Lo más probable es que la opinión le ayude a darse cuenta de que pagar $55 por una botella de acondicionador de marca poco conocida hecha con ingredientes de mala calidad no es ideal y que no le importan las sales del Mar Muerto en la botella. O, si le importan, puede que entonces investigue sus beneficios y averigüe si hay disponibles marcas mejores o a precios más razonables para poder comprarlas. Ambas circunstancias no benefician al vendedor, por tanto, han fallado a la hora de conseguir los beneficios manipulativos de usar la palabra "porque".

Mientras que la mayoría de la gente no es consciente de lo que la palabra "porque" realmente hace a su mente, sigue habiendo mucha gente que está al tanto de este condicionamiento, y lo usarán en su propio beneficio a la hora de conseguir que la gente esté de acuerdo con lo que están pidiendo. De hecho, esta misma técnica se enseña en prácticas como la programación neurolingüística (PNL) para apoyar a los profesionales a ser capaces de hablar directamente a la mente subconsciente para producir los resultados deseados. Mucha gente que educa a otros en estrategias de venta y *marketing* también educan para usar la palabra "porque" como forma de inspirar a la gente a realizar la acción deseada sin darse cuenta de que están siendo manipulados en el proceso.

Saber cómo evitar este tipo de manipulación no deseada básicamente requiere que empiece a prestar atención cada vez que escucha a alguien decir "porque" para que pueda evitar ser manipulado. Asegúrese de que el momento en el que oye la palabra "porque" empieza a pensar críticamente sobre las palabras que le siguen y que con sinceridad evalúa si realmente importan o no. Aunque la otra persona no esté entrenada para darse cuenta de que esto es una forma de manipulación, o si lo están llevando a cabo sin tener la menor idea de lo que están haciendo, usted necesita prestar mucha atención. Si las palabras después de "porque" apoyan una razón falaz o irrelevante, insista para conseguir más información o intentar obtener una razón con más sentido respecto a por qué debería realmente hacer lo que se le pide. Si no tienen una, probablemente no haya una y simplemente estén intentando salirse con la suya mediante la razón en vez del intelecto.

La gente quiere que les traten como si fueran únicos o especiales

A la gente le encanta que les traten como si fueran especiales o únicos de alguna manera, ya que les hace sentirse importantes y alimenta su sentido del ego. A menudo, esto no pretende ser superficial o poco profundo. En cambio, se sienten verdaderamente bien cuando se les trata como si fueran importantes. Sentirse importante a menudo coincide con recibir atención positiva, que es algo que cada humano, desde bebés a ancianos, anhelan. Cuando recibe atención positiva, eleva su autoestima, mejora su confianza en sí mismo y le deja sintiéndose como si fuera capaz de conseguir todo lo que desea en su vida. Cuando alguien le quiere incondicionalmente, le muestra una inmensa cantidad de apoyo, o le trata como si sus talentos fueran algo especialmente único, le hace sentirse *bien*. Empieza a enorgullecerse de lo que hace y puede que incluso haga un poco más para que pueda alardear de sus talentos incluso un poco más y recibir aún más cantidad de atención positiva o alabanzas de la gente que está estimulando estos sentimientos en usted.

Cuando esto se hace de forma saludable, buscar y recibir atención positiva de otros y sentirse importante es fantástico. Sin embargo, este tipo de comportamiento también puede convertirse rápidamente en tóxico y dejarle muy vulnerable a la manipulación. Por ejemplo, en relaciones abusivas, un abusador puede elevarle verbalmente y hacerle sentir especial e importante para que se sienta *muy* bien, para después retirar toda la atención sin ninguna razón aparente para que usted sienta como si hubiera hecho algo malo. En este tipo de relaciones, la atención especial se otorgó solo para que se volviese dependiente de esa persona que le hacía sentir muy bien consigo mismo, dejándole más vulnerable a sus maneras manipuladoras y abusivas.

Esto no solo se hace en relaciones abusivas entre amantes, familiares o amigos. Este tipo de comportamiento manipulador ocurre a diario por gente manipuladora. En muchos casos, los líderes manipuladores usarán este tipo de comportamiento para manipular a su público entero para que se sientan importantes y se conviertan en dependientes de ellos y de la atención que les ofrecen. Lo mismo pasa con las ventas o en individuos corporativos. La gente intenta ganárselo haciéndole sentirse importante y listo y, después, una vez lo consiguen, le manipulan para que les dé lo que quieren y a continuación le abandonan completamente cuando lo hace.

Entre los líderes manipuladores, alguna de las jugadas de poder manipulativo más común que juega con los deseos de la gente de sentirse especial incluyen hacerse los tontos, usar honestidad selectiva y hacer la pelota. A través de estas tres acciones, pueden adular a la gente para que sean más vulnerables a su comportamiento manipulador y, por tanto, el manipulador se puede posicionar perfectamente para conseguir lo que quiera. Si quiere evitar ser manipulado por alguien que le *dora la píldora* mientras le apuñala por la espalda, tiene que estar atento a estos comportamientos y protegerse cada vez que los vea en acción.

Si ve que alguien se hace el tonto, normalmente es obvio porque a menudo pretenden que no saben nada. Esto se hace de forma que usted se sienta superior y que tiene mucho que enseñarles, de manera que siente como si usted fuera importante y como que tiene mucho que ofrecer. Cuando está en esta posición, usted no ve al manipulador como una amenaza, de manera que baja la guardia y no está a la caza de comportamientos manipulativos. Si se percata de que alguien comenta con frecuencia lo listo que es y actúa como si supiera muy poco, tenga cuidado. Esto es especialmente cierto si la situación parece que no cuadra, como si una persona pretende saber menos sobre su propia profesión que usted. A no ser que sean completamente nuevos en su profesión o realmente no les importe, lo más probable es que ya sepan y simplemente estén dejándole pensar que es más listo que ellos para que se sienta importante y sabio. Puede estar tentado de ver esto como una falta de confianza o baja autoestima y, en algunos casos, esto puede ser verdad. Sin embargo, la razón más plausible es que la persona está intentando manipularle y quiere que deje de verlos como una amenaza para que esté en la posición perfecta para ser manipulado con sus tácticas.

También tiene que tener cuidado siempre que escuche a alguien guardarse información e intentando dejar las cosas en el aire o extremadamente específicas. En lo que se refiere a esta forma de manipulación, el manipulador a menudo sabe que usted va a estar a la caza de vaguedad y desinformación. Por esa razón, probablemente sean muy específicos, pero solo con determinadas cosas. Puede que intenten eludir ciertos problemas o controlar la conversación dando muchos detalles sobre algo que es solo parcialmente relevante a la situación que se tiene entre manos. En estas circunstancias, guardarse la verdad rara vez es resultado de que la persona no sea una entendida. En cambio, es más probable que sepan que usted no quiere oír todo lo que tienen que decir, de manera que solo le cuentan las partes que creen que le interesarán.

Por último, si ve a alguien intentando adularle, tenga cuidado. Lo intentarán guardando un equilibrio entre adularle, y no demasiado. Un adulador siempre será muy cauto sobre cuánto le cuentan y cuánto hablan de ellos mismos. Típicamente intentarán que usted hable más sobre usted mismo y mostrarán un gran interés en usted, a menudo compartiendo solo lo necesario sobre sí mismos para que la conversación esté equilibrada. Después de todo, hablar exclusivamente de usted o preguntar sobre usted haría que resultara obvio que están maquinando algo, y si solo hablan de sí mismos atraería demasiada atención sobre ellos. Un adulador busca el equilibrio hablando con mucho cuidado de sí mismo y preguntando sobre usted, siempre intentando conseguir un equilibrio entre cuánto comparten y cómo le parece a usted. Quieren adularle y ganárselo, pero no quieren hacerlo hasta el punto de que parezca que están haciéndole la pelota para conseguir algo. Al equilibrar la conversación ganándoselo poco a poco y de forma consistente, parecen *integrarse* y no llamar la atención. Al fundirse así, sin embargo, un adulador toma verdadero control porque pueden recoger información de usted mientras no dan mucho a cambio. Esto significa que pueden destapar todo lo que necesitan para manipularle mientras cubren completamente su rastro porque ha bajado la guardia con ellos. De esta forma, el adulador aparece de forma completamente insospechada, toma el control, y puede hacer virtualmente cualquier cosa que desee sin que nadie nunca se dé cuenta de que está manipulando a esa persona.

Capítulo 3: Los seis principios científicos de la persuasión

El tema de la persuasión ha sido investigado durante más de 60 años a medida que los científicos intentaban destapar lo que realmente influye a una persona a decir *sí* a algo. Los resultados que han surgido de estos estudios científicos son bastante sorprendentes y han enseñado a mucha gente a cómo influir a otros para que digan *sí* cuando piden que aprueben una petición específica. Desde la posición de la persona que no está tomando la decisión, parece sencillo asumir que uno tendría en cuenta todos los pros y contras de su decisión antes de decidirse por una respuesta final. Sin embargo, la ciencia ha demostrado que en realidad hay algunas cosas muy básicas que entran en juego a la hora de que una persona decida si decir *sí* o *no* según unos pocos atajos básicos. Estos atajos existen porque vivimos en un mundo donde hay una constante montaña de información frente a nuestras narices y si intentáramos tener en cuenta todos los pros y contras de cada decisión que debemos tomar, nunca tendríamos tiempo de decidir nada. Estaríamos sobrecargados con decisiones que tomar y cosas que considerar y supondría algunos serios contratiempos, y al final este sistema de toma de decisiones basado más en la racionalidad acabaría siendo inútil.

Según la ciencia, hay seis principios científicos de persuasión. Estos son los únicos principios responsables de cómo la gente toma decisiones basadas en lo que sabemos en la actualidad. Estos principios han sido probados científicamente por Robert B. Cinaldini, profesor de psicología y autor, en su libro *Influence*. Vamos a explorar qué son estos seis principios y cómo puede ser consciente de ellos para que siempre pueda estar en control consciente de sus habilidades de toma de decisiones. De nuevo, aunque la mayoría de la gente no tenga ni idea de que estos factores si quiera están involucrados a la hora de tomar decisiones, algunos pocos que hacen sus pinitos en las prácticas maquiavélicas intentarán usar estos principios en su contra. Estar claramente atentos a estos le asegurará que siempre tome decisiones de forma consciente a su favor y que genuinamente sirven a su bien sin ser manipulado inconscientemente por otra persona.

Reciprocidad

El primer principio que anima a la gente a decir *sí* cuando se les ha hecho una pregunta es la reciprocidad. Si le ha dado algo a alguien, se sienten obligados a decir que sí para darle algo de vuelta porque sienten como si le debiese algo de una forma u otra. Esto es verdad, aunque usted le haya ofrecido dicha cosa como un regalo o sin la intención de recibir algo de ellos a cambio. Lo mismo pasa a la inversa. Cada vez que alguien le da algo o hace algo agradable por usted, usted se siente obligado a hacer lo mismo para devolver dicha acción.

Una forma genial de entender cómo funciona la reciprocidad es considerar un estudio que fue realizado en restaurantes entre los camareros y sus clientes. Este estudio demostró que siempre que un camarero o camarera traía alguna forma de regalo con la cuenta, usted está más predispuesto a dejar una propina mayor a cambio del regalo. Mientras que la mayoría de la gente creería que un acto tan pequeño no influye en el comportamiento para nada, la realidad es que sí lo hace. El estudio demostró que un simple caramelo ofrecido a la hora de pagar aumenta la propina en un 3%, pero cuando se ofrecían dos, se incrementaba un 14%. Si el camarero o camarera era obvio a la hora de ofrecer los caramelos, como ofrecer uno antes de dejar la mesa y después volver y decir algo como "para estos excelentes clientes, ¡aquí tenéis un caramelo extra!" la propina se incrementaba en un 23%.

La gente manipuladora puede aprovecharse de este tipo de comportamiento asegurándose de que es obvio siempre que ofrecen algo o hacen algo amable por usted. Al hacerlo obvio o señalarlo, saben que usted se sentirá subconscientemente obligado a decir *sí* a la hora de devolverles el favor, que desde luego planean cobrarlo. Normalmente, ya saben lo que quieren de usted incluso antes de ofrecerle el regalo agradable o acto de amabilidad, convirtiéndolo todo en una farsa manipuladora.

Escasez

Una forma obvia por la que la gente puede ser manipulada a través de la escasez es algo que las marcas de lujo usan para asegurar mayores ventas. A la gente le gusta tener algo que es único y que nadie más tiene, así que cuando saben que algo es escaso, es más probable que quieran tenerlo. La gente manipuladora ha usado esta información durante años, sabiendo que la gente quiere lo que otros no pueden tener. Esto está vinculado directamente con la conducta humana de sentirse especial y único.

Un gran ejemplo de esto en los negocios es el bolso Birken. Los bolsos Birken son bolsos de lujo que cuestan miles de dólares porque son un icono de la moda que representa el poder y estatus. Puede que se pregunte qué hace a un bolso Birken tan especial y por qué alguien estaría dispuesto a pagar miles de dólares por uno, y la razón es simple. Solo se hacen unos pocos cientos de bolsos al año y tiene que estar en una lista de espera o lista especial para comprarlo. Así es, no es un sistema por orden de llegada, sino que es un sistema basado en la lealtad. Al hacer que sus bolsos sean escasos y haciendo que el proceso de compra sea significativo y especial, la empresa puede sacar provecho del deseo humano de sentirse especial y único.

Autoridad

La gente quiere ser parte de algo más grande que ellos mismos, lo que significa que necesitan seguir a alguna clase de líder o figura autoritaria que les guía en el proceso de ser parte de *algo más grande*. Una forma en la que la gente manipuladora manipulará a otros es creando una sensación de autoridad y dirigir a la gente desde esa posición autoritaria. Esta es la razón por la que la gente en el mundo de los negocios lidera con sus credenciales por encima de cualquier otra información, para establecer una posición de autoridad y conseguir que inmediatamente la gente les preste atención y que subconscientemente quieran seguir sus instrucciones.

Por ejemplo, se realizó un estudio en una inmobiliaria donde los agentes fueron capaces de aumentar sus citas para mostrar casas en un 20% y sus firmas de contratos en un 15% simplemente presentando a sus agentes como figuras de autoridad. En vez de decir, "Sandra le va a ayudar hoy", por ejemplo, dirían, "le presento a Sandra, ella es la jefa de ventas y tiene más de 20 años de experiencia vendiendo casas". Este simple cambio conduce a un impacto bastante saludable en sus ventas, demostrando que una simple técnica de persuasión podría tener un impacto significativo en el balance de la empresa. Lo mismo pasa con prácticamente todo el mundo, ya que este principio persuasivo no está restringido solo a las ventas. Cada vez que alguien se establece como un experto, ya sea en una industria de la autoayuda, como un líder religioso o incluso simplemente en su grupo de amigos, esa persona siempre recibirá resultados más alentadores a sus peticiones que los demás.

Consistencia

La gente requiere consistencia a la hora de que se les persuada a decir *sí* a algo. Cuando alguien está expuesto a algo consistentemente, es más probable que se interesen en ello y decir que sí se vuelve más sencillo, ya que la oferta que están recibiendo les resulta familiar. Por ejemplo, dicen que la persona promedio tiene que ver una pieza de *marketing* de la misma empresa siete veces antes de que puedan reconocerla y hasta 14 o más veces antes de que estén realmente dispuestos a investigarla y tomar una decisión. Esto es así a no ser que la empresa misma se acerque al individuo primero y cree una conexión. En ese caso, puede que estén involucradas otras medidas de persuasión para acelerar el proceso e incrementar las posibilidad de que esa persona diga *sí*.

Cuando la gente busca influir a alguien para que esté de acuerdo con ellos, siempre buscarán exponerle a la idea varias veces antes de pedirles que se aprovechen de su oferta. Con este comportamiento, aumentan sus probabilidades de recibir una respuesta positiva y conseguir la venta, cerrar el trato u obtener el favor que querían.

Gustar

Si a alguien no le gusta algo o alguien, casi seguro que dirán *no* el segundo que le pidan tomar una decisión respecto a esa cosa o persona. A la gente no le gusta estar involucrada con gente o cosas que no les gusta. Así de sencillo. Así que, cuando alguien intenta persuadir a alguien para que diga *sí* o acordar algo, casi siempre lo hará primero obteniendo la admiración y aprecio de la persona. Por ejemplo, una empresa primero buscará ganarse su admiración antes de intentar venderle algo, ya que de esta forma saben que es más probable que usted lo haga.

Un ejemplo de lo efectiva que es la simple base de que le guste algo o alguien puede ser mostrado por un estudio realizado entre estudiantes de MBA de dos escuelas de negocios bien conocidas. En este estudio, un grupo de estudiantes entró en negociaciones con la regla de que "el tiempo es oro; vayan directos al asunto" mientras que el otro grupo entró con la premisa de "intercambiar información personal antes de las negociaciones para identificar similitudes antes de empezar". En el grupo donde se valoraba el tiempo y el dinero sobre las conexiones personales, solo el 55% de las negociaciones llegaron a un acuerdo. En el grupo que valoraban las conexiones personales primero, el 90% de las negociaciones terminaron con un resultado acordado entre las dos partes. Los acuerdos a los que se llegaron por aquellos que establecieron conexiones personales también fueron calculados como un 18% más valiosas por ambas partes que aquellas a las que llegaron las personas enfocadas en el intercambio de tiempo y dinero. Si la gente busca persuadirle de verdad para que se ponga de su parte y trabaje en su favor, probablemente vayan a hacerlo empezando con una conexión personal y después continuar desde ahí.

Consenso

La gente siempre buscará un consenso común entre otros cuando no están seguros de qué decisión deberían tomar. Al observar las acciones y comportamientos de otras personas, pueden determinar si quieren hacer algo o involucrarse en algo o no, basado en lo que la otra gente está haciendo y los resultados que experimentan. De hecho, es así como funcionan las ventas entre iguales y el *marketing* social, usando los testimonios positivos y la publicidad ofrecida por clientes existentes para animar a nuevos clientes a empezar a comprarles a ellos también.

Un gran ejemplo de esto se puede ver en la tendencia al alza de las estrategias del *marketing* social. Por ejemplo, en los últimos 10 años, ser un *influencer* en las redes sociales se ha convertido en una carrera seria que puede ofrecer unos ingresos importantes a cualquiera que se involucre en esta industria. Fundamentalmente, aquellos que se están convirtiendo en *influencers* están simplemente promocionando a otras empresas y les pagan por hacerlo. Sin embargo, tiene éxito porque generan muchos seguidores que confían en ellos y creen en sus opiniones. Con esta confianza pueden utilizar su nombre y aumentar el número de ventas que las compañías obtienen, lo que incrementan aún más según sus seguidores, que compran los productos promocionados y coinciden en que son, de hecho, grandes productos. Con esta estrategia de *marketing* de efecto dominó, las empresas aumentan sus ventas inmensamente mientras incrementan al máximo el conocimiento de marca a través de las redes sociales invirtiendo bastante menos tiempo y dinero en el proceso de *marketing* .

Capítulo 4: Técnicas ingeniosas de control mental

Un aspecto de la psicología oscura reside en el control mental y el deseo de la gente de controlar lo que otros piensan, cómo actúan y toman decisiones. Usando las técnicas de control mental adecuadas, la gente puede básicamente atravesar su mente consciente y llegar a su mente subconsciente para animarle a comportarse de cierta manera sin que usted siquiera se dé cuenta de lo que están haciendo en realidad. Un ejemplo común de una práctica que enfatiza las técnicas de control mental es la PNL, donde los profesionales están entrenados para hablar a la mente subconsciente de la gente usando prácticas respaldadas por la psicología. En un ambiente positivo, los practicantes de la PNL pueden usar esta práctica psicológica para ayudar a la gente a superar sus miedos, adicciones y ciertos patrones de comportamiento indeseados a través del acto de la palabra hablada. En la psicología oscura, sin embargo, las prácticas como la PNL se usan como una forma de activar el control mental para presionar a la gente, sin que lo sepan, a hacer cosas que probablemente no harían, como hacer una compra determinada o involucrarse en un patrón de comportamiento particular. En este capítulo, vamos a explorar 9 ingeniosas técnicas de control mental que la gente que usa la psicología oscura podría usar potencialmente contra usted si no estuviese usted al tanto de lo que tiene que observar para evitar dicha manipulación.

Sonrisa desbordante

La gente que quiere practicar el control mental puede adoptar una forma de la ley del comportamiento donde la gente quiere sentirse especial: la sonrisa desbordante. Esta simple técnica puede usarse para hacer que la gente sienta que son únicos y especiales frente al resto, y la verdad que no lleva nada de tiempo. Para conseguirla, simplemente retrase su sonrisa cuando conozca a alguien por primera vez. En vez de sonreír inmediatamente y hacerles pensar que usted sonríe a todo el mundo, retrase la sonrisa unos segundos. Entonces, sonría primero con sus labios y deje que la sonrisa suba hasta sus ojos e inunde toda su cara. Esta estrategia para sonreír lentamente ayuda a que la gente sienta que son especiales porque parece que usted no sonríe a cualquiera; haciendo que usted les empiece a gustar más inmediatamente.

Consiga que le guste a cualquiera

Una herramienta útil que la gente persuasiva usa les permite gustarle mucho más subconscientemente a cualquiera. Funciona de forma muy simple: usted aumenta la cantidad de atención que le ofrece a una única persona para demostrar que ellos son más especiales que el resto con los que pasa tiempo. La clave es evitar hacerlo de forma asquerosa o incómoda, de manera que las personas que están utilizando esto como una estrategia de manipulación casualmente incrementarán su atención en la persona en la que están interesados mientras que intentan equilibrarla más o menos con otras personas. Al prestarle a alguien ligeramente más atención y haciendo que esa atención sea un poco más significativa que la atención brindada a los demás, usted provoca que su mente subconsciente reconozca esta atención e instintivamente empiece a gustarle inmediatamente. Esto funciona mejor en un grupo de 3 o más personas para que verdaderamente pueda resaltar que la atención prestada a alguien es mayor o de mejor calidad que la atención que se brinda a los otros.

Repítase

Cuando quiera que alguien esté de acuerdo con usted, necesita repetirse para empezar a persuadir a su mente para pensar de la misma forma que usted piensa. Para alguien que está intentando ser manipulador, la mejor forma de hacer esto es evitar quejarse mientras aumenta la cantidad de interés que muestran en el tema deseado. Por ejemplo, digamos que usted quiere que su grupo de amigos haga algo juntos, pero sus amigos piensan que dicha actividad es aburrida o poco interesante. En vez de quejarse o suplicarles que vayan con usted, usted podría empezar a hablar casualmente de lo alucinante que es esa actividad y cómo es claramente mejor que cualquier otra. Los estudios demuestran que actuar de esta forma puede mejorar el interés de la gente hasta en un 90% después de repetir únicamente 3 veces lo alucinante que es esa actividad. Esto significa que sus amigos estarían más inclinados a aceptar ir con usted que si usted les hubiera preguntado, hubiesen dicho que no, y después usted se hubiese quejado y suplicado para que fuesen con usted.

Actividades sincronizadas

Según estudios científicos, realizar actividades sincronizadas aumentan la conexión entre dos personas. Si quiere gustarle más a alguien o que muestre más interés en usted, todo lo que tiene que hacer es pedirles que hagan una actividad sincronizada con usted. Esto aumentará la conexión que sienten con usted, que instintivamente les hará gustarle mucho más que con cualquier otra actividad que pudieran intentar practicar juntos. Algunas actividades sincronizadas geniales que se pueden llevar a cabo incluyen andar, cantar, montar en bici o ir a una clase donde se les enseña a ambos la misma cosa, como pintar o cocinar.

Guarde silencio

Para la gente que quiere que se le escuche más o que se considere su opinión, la mejor forma de hacerlo es darle a la otra persona el control de la conversación, por lo menos al principio. Usted debe empezar la conversación permitiendo a la otra persona que hable y haciendo preguntas que le animen a compartir más información. Una vez hayan terminado de hablar, en algún momento le preguntarán por su opinión. Después de que lo hagan, se sentirán obligados a escuchar y ofrecer el mismo nivel de atención y consideración basado en el principio de reciprocidad. Esta es una manera inteligente con la que los manipuladores se aseguran de que usted escuche y considere su opinión, aunque su opinión parezca fuera de lugar, errónea o equivocada.

Ransberger Pivot

Cualquiera que está buscando ganar una discusión sin montar un escándalo ni causar que la otra persona se sienta amenazada puede usar el *Ransberger pivot*. El *Ransberger pivot* funciona permitiendo a otra persona expresar sus ideas primero mientras se sienta en silencio y escucha lo que está diciendo. Mientras escucha, usted debe entender en profundidad su punto de vista para poder entender lo que le importa, sus intereses y lo que está intentando conseguir con esta discusión. Una vez haya terminado, usted simplemente necesita crear una situación que combine sus intereses y deseos con los suyos y ofrecérsela. Al hacer esto, la otra persona siente que está siendo considerada y que consigue lo que quería, y usted también consigue lo que quiere, lo que significa que ambos ganan en esta interacción.

Diga una mentira

Aunque esto no es necesariamente un método de manipulación, es una forma genial de escapar de algo que no quiere hacer. La clave para conseguir que realmente funcione una mentira sin ser cuestionado es hacer que la mentira sea ligeramente embarazosa para usted. Al hacer esto, la gente se siente incómoda y es poco probable que quieran presionarle para obtener más información o tener que pensar más en lo que acaba de decir, permitiéndole, por tanto, enterrar de forma satisfactoria su mentira sin ser pillado. La gente manipuladora usará esta táctica a menudo para evitar que le pillen otras personas. Funciona diciendo simplemente algo como: "Lo siento. No puedo ir a tu cena porque mi síndrome de colon irritable me está dando más problemas últimamente". Esta pequeña y simple mentira evitará que la otra persona le presione para ir a la fiesta y a la vez pensarán que usted no ha declinado la invitación porque no estaba interesado o no le gusta esa persona. En cambio, creerán que de verdad no pudo ir, de manera que no les gusta usted menos y no ha herido los sentimientos de nadie.

Controle la conversación

Una técnica de manipulación común que la gente usa es una estrategia que les permite controlar cualquier conversación de una forma sutil pero eficaz. La persona simplemente inicia una conversación con otra persona y entonces escoge una palabra específica que la otra persona está diciendo como *ancla*. Entonces, cada vez que su compañero de conversación diga esa palabra, asienta con la cabeza, sonría u ofrezca alguna forma de afirmación positiva. Subconscientemente, la persona con la que están hablando reconocerá esta afirmación positiva e intentará agradar al manipulador usando esa palabra repetidamente. Esto puede usarse en su provecho si anclan una palabra relacionada con una petición o favor que el manipulador planea pedir a la otra persona en algún momento durante la conversación.

Asentir de forma perfecta

Una forma inteligente en la que los manipuladores intentarán manipular es asintiendo con la cabeza. Cuando asiente a una persona mientras habla con ella, esto crea una asociación positiva natural entre usted y la otra persona. Lo que pasa es que usted muestra que está de acuerdo con la otra persona y se sienten obligados a estar de acuerdo con usted también. Usted puede usar esto en su propio beneficio asintiendo con la cabeza casual y sutilmente a lo largo de la duración de la conversación incluso antes de que planee pedir algo a alguien. Entonces, cuando pida algo a dicha persona, incorpore una sutil inclinación de cabeza en su petición. Probablemente ni se den cuenta de que lo ha hecho, pero subconscientemente se sentirán más inclinados a estar de acuerdo con usted debido al acuerdo positivo que ya existe entre ustedes dos.

Los ojos

Una práctica manipulativa común fue científicamente demostrada durante un estudio de 1989 donde los investigadores tuvieron a dos extraños mirándose a los ojos durante dos minutos. Después de que pasasen los dos minutos, los sujetos declararon tener sentimientos apasionados por la otra persona. Cuando investigaron la biología de estos sujetos, se dieron cuenta de que después de la prueba había un incremento en los neurotransmisores dopamina y oxitocina, las dos sustancias responsables de crear el efecto de *amor* en la gente. Puede aprovecharse de esto simplemente aumentando la cantidad de contacto visual positivo y casual que establece con la gente. Al incrementar el contacto visual que establece con una persona en la que está interesado, puede provocar que experimenten la misma liberación de dopamina y oxitocina, creando, por tanto, una respuesta natural de amor y pasión.

Capítulo 5: Técnicas de los mejores negociadores

La negociación es una herramienta usada para ayudar a dos o más personas a reunirse bajo unos términos comunes, permitiendo a todas las partes acomodar sus consideraciones en el acuerdo finalizado. Negociar es una herramienta maquiavélica común usada para hacer creer a la gente que están consiguiendo lo que quieren cuando, en realidad, el maquiavélico es la única persona que se beneficia verdaderamente de los términos del acuerdo final. A la hora de finalizar acuerdos, los maquiavélicos tienen una forma sigilosa de asegurarse de que cada uno de sus términos deseados se cumplen y no les importa lo que cueste conseguirlo. En muchos casos, un negociador maquiavélivo le dejará sin prácticamente nada, y lo hará de una forma que parezca que se le tuvo en cuenta y consideración en el proceso. En realidad, no le importó lo que ganó o perdió. Solo le importa que sus necesidades fueron satisfechas.

En este capítulo, vamos a explorar nueve tácticas que los negociadores manipuladores usarán para intentar conseguir todo lo que desean de una negociación, dejándole sin absolutamente nada. Estas tácticas están basadas en los principios de persuasión y las leyes de la conducta humana que ya ha aprendido previamente en este libro.

No nos motiva la razón

Como sabe, no nos mueve la razón ni la lógica, sino las emociones y las *corazonadas* instintivas que tenemos cuando estamos en ciertas situaciones. La gente manipuladora sabe esto, y usarán sus emociones como forma de intentar que entienda su lógica y se ponga de su parte, especialmente a la hora de negociar. En vez de intentar que supere sus emociones y vaya a la mesa de negociación en un estado de pensamiento racional, una persona manipuladora incluirá sus emociones como parte de su estrategia central. Apelarán a sus emociones conectando a nivel personal, creando una sensación de camaradería y hablando de una forma que valide sus sentimientos y necesidades desde una perspectiva emocional.

Según continúan negociando con usted, una persona manipuladora hará todo lo que pueda para hacerle *sentir* como si estuviera en un ambiente seguro y compasivo donde se le está teniendo en consideración y en cuenta. Sin embargo, únicamente están haciendo esto con la intención de que baje la guardia y dejarle lo más vulnerable posible para que cuando llegue la hora de ofrecerle el acuerdo final, esté más predispuesto a aceptar sus términos. Cuando ofrece el trato, una persona manipuladora continuará haciendo parecer como si el trato fuese en su favor y como si fuese algo positivo para usted. En realidad, aunque puede que usted tenga algunas pequeñas cosas que celebrar, probablemente todo lo que buscaba en la negociación fue completamente obviado y se lo creyó simplemente porque se sentía bien sobre lo que se estaba diciendo. Para cuando se dé cuenta de que su negociación no funcionó en su favor, los contratos ya habrán sido formados, o el trato se habrá emitido, y será demasiado tarde para que usted se eche atrás o haga cualquier cambio.

Sea un reflejo de los demás

Imitar a la gente es una de las mejores formas de adulación, razón por la que, a la hora de cosas como la persuasión, usar actividades sincronizadas o imitar, es una de las mejores formas de conseguir que alguien se comporte a favor de sus necesidades y deseos. Un gran negociador que está usando la manipulación para salirse con la suya predecirá qué sorpresas pueden surgir por el camino de la negociación y atraerlas a propósito. En vez de aproximarse a una negociación preparado para discutir y ganar, un gran negociador se acercará a la negociación con la habilidad de concentrarse y escuchar completamente a todos a su alrededor, haciendo, por tanto, que todos se sientan escuchados, validados y *bien*. Desde esta posición, también pueden identificar cualquier cosa que pueda surgir que pueda ser usada en su favor a la hora de emitir un trato con el que sabe que todo el mundo estará de acuerdo.

En vez de intentar apresurar el proceso y meterse en el trato en sí, un negociador manipulativo ralentizará completamente el proceso y se involucrará en cada paso, desde escuchar a pensar el trato. Al ralentizar el trato, se ponen en control y crean la apariencia de autoridad y credibilidad, provocando que todos los demás en el acuerdo ralenticen hasta su paso y operen a su nivel. Esto resulta en que la persona manipuladora tenga todo el poder, haciendo que todos los demás estén automáticamente predispuestos a estar de acuerdo con esta y proceder con cualquier cosa que diga u ofrezca. Al final, es más probable que esta persona obtenga sus preferencias por encima de cualquiera en la negociación.

No comparta el dolor de alguien, identifíquelo

Tal como lee arriba, un gran negociador buscará incluir emociones como parte de su estrategia en vez de separarlas completamente del acuerdo. Los grandes negociadores que siempre cierran el trato en su favor saben que las emociones son inevitables y que son una gran fuerza impulsora detrás de la toma de decisiones de la gente, de manera que las usan en su favor, especialmente con los puntos débiles. En vez de estresarse y frustrarse cuando se tocan los puntos débiles de la gente o se intentan separar por completo de la negociación, un gran negociador los reconocerá y etiquetará. Al mostrar empatía intencionadamente a aquellos alrededor, el gran negociador se ganará la confianza emocional de todos con los que está negociando, por tanto, aumentan su simpatía y hacen que sea más sencillo persuadir a los otros para que estén de acuerdo con él.

El factor identificativo clave con esta táctica particular es que el negociador manipulativo siempre buscará distanciarse de esta etiqueta. Por tanto, en vez de decir, "reconozco su frustración…", siempre dirá "parece que está frustrado con…" porque esto les distancia de la idea de que ellos tienen un interés especial en el dolor de la persona con la que se están comunicando. Aun así, la declaración en sí muestra una sensación de empatía y se gana la confianza de otros de una forma que les deja pensando que están experimentando compasión de la otra persona cuando, en realidad, simplemente están usando sus emociones en su contra en favor de la negociación.

Domine el arte del *no*

Los negociadores manipulativos saben que la palabra *sí* a menudo no tiene sentido, ya que tiende a ocultar los objetivos más profundos de la persona con la que están negociando. Sin embargo, cuando la palabra *no* aparece, esto ofrece una oportunidad a ambas partes de clarificar sus intenciones y necesidades y avanzar con la negociación, y por esa razón, un negociador manipulativo siempre hará que parezca que es seguro para usted decir *no* a sus términos e ideas. Al crear este espacio seguro para que usted diga *no*, un negociador manipulativo sabe no solo que usted aclarará más su punto de vista, sino que además estará mucho más dispuesto a escucharle y ver las cosas desde su perspectiva, basado en el principio de reciprocidad.

Al animarle a decir *no* en vez de animarle a decir *sí*, una persona manipuladora puede obtener mayor conocimiento de lo que le importa a usted y qué es lo que de verdad le preocupa del intercambio de sus negociaciones. Entonces, pueden usar esto para incrementar aún más su confianza emocional en ellos, haciendo que sea incluso más fácil para ellos persuadirle para que esté de acuerdo con ellos y acepte el trato. Aunque nunca está garantizado que escuchar *no* haga más fácil conseguir un *sí*, dominar esta táctica es mucho más eficaz que contar con un *sí* y descubrir que se cambia después porque información más profunda (y potencialmente útil) no había sido revelada completamente.

Use las palabras "tiene razón"

Un psicólogo llamado Carl Rogers propuso que un terapeuta solo puede apoyar a su cliente con un cambio real si aceptan a la persona como realmente es, también conocido como consideración positiva incondicional. Para usar la consideración positiva en su provecho, usted necesita conseguir que la otra persona diga cosas como "eso es correcto". Esto es lo que hacen los negociadores manipuladores cuando están intentando que estén de acuerdo con ellos y cambiar su opinión actual. Al hablar de forma que usted tenga que responder con declaraciones como "eso es correcto", un gran negociador sabe que es más probable que coincida con ellos y se comprometa con sus términos sin suponer mucho problema o solicitar muchas diferencias en su nombre. Como resultado, ellos ganan.

Es importante apuntar que un negociador siempre intentará que usted diga "eso es correcto" y no "tiene razón". Esto es porque cada vez que una persona dice "tiene razón", no han aceptado personalmente la información ni la reconocen como su verdad. En cambio, simplemente han expresado que están de acuerdo. Cuando una persona dice, "eso es correcto", están aceptándolo personalmente como una verdad, haciendo que estén más dispuestos a la hora de cerrar la negociación.

Distorsione la realidad de alguien

Un negociador manipulativo nunca le dará más de lo que le quiere dar en primer lugar, sin importar lo que pueda hacerle pensar. Pese a cómo formule sus frases y exprese sus tecnicismos, un gran negociador nunca le dará más de lo que tenía intención de darle en primer lugar. En cambio, usa la negociación como una forma de que parezca que todos están ganando cuando, en realidad, é es el único sale exactamente con lo que esperaba o quería. Un negociador manipulativo nunca repartirá la diferencia, aunque haga como si lo hubiera hecho.

La mejor forma de protegerse de que un negociador distorsione su realidad es evitar creer en las fechas límite que le marca en su acuerdo. Ningún acuerdo realmente termina cuando la fecha límite pasa, ya que las fechas límite en las negociaciones raramente tienen las consecuencias perjudiciales que nos hacen creer. Si se equipa con el conocimiento de que *no llegar a un acuerdo es mejor que un mal acuerdo*, entonces ármese de la paciencia necesaria para conseguir exactamente lo que estaba buscando de la otra persona.

Cree una ilusión de control

Un negociador manipulativo siempre intentará que parezca que es quien está en control de la situación, aunque la verdad es que ambos están igualmente en control, ya que, si alguno de los dos decidiese echarse atrás, la negociación se acabaría. Cuando usted crea la ilusión de que la otra persona está en control y después siembra lo que quiere por el camino, parece como si fueran ellos los que crearon la solución, cuando, en realidad, era la solución que usted quería todo el tiempo. Como resultado, es mucho más probable que coincidan con sus términos según lo que usted quería sin darse cuenta de que esto era lo que quería todo el tiempo. Así es cómo un negociador maquiavélico manipulará a alguien para que le ofrezca el acuerdo que originalmente deseaba mientras logran que parezca que era la otra persona la que estaba en control.

La forma en la que el negociador conseguirá que la negociación vaya en su dirección es a través de preguntas calibradas. Las preguntas calibradas son preguntas que se hacen con la intención específica de manipular a la otra persona para que responda con la respuesta deseada del que la formuló. Estas preguntas calibradas requieren un gran autocontrol emocional para que no den la sensación de ser manipuladores o que presionan en exceso. También evitan usar palabras que fomentan la habilidad de la otra persona para responder a las preguntas con un simple *sí* o *no* y, en cambio, buscan presionar a la otra persona para que produzca respuestas con mayor profundidad. Esto persuade a la otra a responder de acuerdo con lo que quería originalmente, pero sin que parezca que tienen nada que ver con la respuesta definitiva.

Garantice la puesta en marcha

Un gran negociador no solo quiere llegar a un acuerdo; en cambio, quiere llegar a un trato que pueda ser implementado y puesto en práctica. Por esa razón, siempre buscarán generar acuerdos que garanticen la ejecución dentro de cierto marco de tiempo. Hacen esto usando una simple pregunta: "¿cómo?". Por ejemplo, "¿cómo sabremos que estamos en buen camino?" o "¿cómo abordaremos la situación si nos damos cuenta de que no andamos por buen camino?". Este tipo de preguntas anima a la otra persona a producir una respuesta garantizada y completa que pueda ser grabada y salvada como algo que se puede poner en práctica en una fecha más tarde. Normalmente, un negociador manipulativo continuará haciendo preguntas "cómo" hasta que reciban una respuesta que incluya las palabras "eso es correcto". De esta forma, saben que ellos son los que están en control de la negociación y que la otra persona simplemente cree que está en control.

Negocie con tenacidad

Para la gente que no está acostumbrada a negociar, el proceso de regateo produce una gran ansiedad y agresión dispersa. Cuando llega el momento de empezar a regatear por lo que cada persona conseguirá, las personas que no están familiarizadas con las técnicas de negociación eficaces se sentirán incómodas e intentarán forzar la situación a su favor sin mucha consideración. En vez de usar técnicas diplomáticas que de hecho tornan el acuerdo a su favor, se verán presionando demasiado fuerte para conseguir lo que quieren y mostrar signos claros de júbilo y orgullo cuando consiguen pequeños retazos de éxito que se les ofrece. Así es cómo un negociador manipulativo sabe que está negociando con alguien que realmente no tiene ni idea de lo que se necesita para conseguir sus resultados deseados, haciendo su trabajo incluso más fácil.

Un negociador poderoso siempre negocia con tenacidad para producir más ansiedad en la persona con la que está negociando. Entonces, empezará a estimular *buenos sentimientos* en la otra persona imitándoles y haciéndoles sentir como si sus necesidades y deseos están siendo tomados en consideración. Una vez la persona está funcionando emocionalmente de forma eficaz a su favor demostrando su vulnerabilidad con la ansiedad y probando su disposición con orgullo y alegría, el negociador manipulativo atacará con un trato duro. Como han formado el acuerdo completo basado en los principios de la persuasión, saben que cerrarán con éxito el acuerdo en su favor con el mínimo esfuerzo o perturbación.

Capítulo 6: 19 técnicas de manipulación predatoria

Es bien sabido que los sociópatas, psicópatas y narcisistas usan técnicas manipulativas como forma de ejercer control sobre sus víctimas y satisfacer sus necesidades y deseos en cada interacción. Mientras que todo el mundo manipula hasta cierto punto, estos individuos son conocidos por usar una cantidad excesiva de manipulación que a menudo puede tener consecuencias muy serias para todas las partes involucradas, pero especialmente para sus víctimas. Esto es lo que hace de estos manipuladores particulares *depredadores*. Los depredadores tienen 19 técnicas en las que confían habitualmente a la hora de manipular a otros y conseguir lo que necesitan de aquellos a su alrededor. Casi nadie es inmune a un depredador, aunque la gente que ya es emocionalmente vulnerable con una baja autoestima o falta de confianza están más en riesgo. En este capítulo, usted va a aprender sobre estas 19 técnicas y cómo usted puede protegerse contra estas, ayudándole a disminuir el riesgo de ser el objetivo de un depredador sociópata, psicópata o narcisista.

Mentir

Se sabe que los depredadores son mentirosos crónicos que prácticamente nunca dicen la verdad sobre nada en sus vidas.

Cuando un depredador o manipulador le está mintiendo, está intentando arrastrarle a su red de confusión y caos donde solo ellos saben lo que realmente está pasando, e incluso entonces, a menudo se olvidan de las mentiras que han contado porque son tantas. Los depredadores tienen cero remordimientos cuando mienten. Para ellos es fácil mentir y lo hacen a menudo, y acaban tan acostumbrados que no se lo piensan dos veces antes de inventarse una mentira. Acaban siendo tan buenos en ello que sus mentiras parecen sencillas de creer porque no hay ninguna pista en su tono de voz o emoción de que es una mentira. Para ellos, es la verdad absoluta en ese momento.

Al crear una telaraña caótica de mentiras en torno a usted, los depredadores pueden aumentar su confusión y mantenerle vulnerable frente a ellos, desilusionándole y distorsionando la realidad del mundo a su alrededor. Como usted inconscientemente cree sus mentiras, usted acaba teniendo una fe completa en todo lo que le han dicho. Cuando usted intenta utilizar una de sus mentiras para validar o justificar algo o hacerles rendir cuentas por la verdad, le darán completamente la vuelta a la tortilla para que usted siga estando confuso. Con esto, usted constantemente siente que se equivoca y que ellos tienen razón, desembocando finalmente en que ya no confíe en su memoria o su propia percepción de la realidad, porque parece que usted siempre se equivoca.

Muchas veces, la víctima no se dará cuenta de que le está mintiendo un depredador hasta que ha pasado tantas veces que es difícil negarlo. Llegados a este punto, sin embargo, ya han entrado en juego otras tácticas de manipulación y control mental, dejando a la víctima sintiéndose completamente desamparada y como si no hubiera para esta nada ni ningún lugar al que recurrir para que le salven de la red de confusión. Como resultado, se sienten atrapados en este caótico y peligroso mundo del depredador y luchando por salvarse.

Retener información

A diferencia de mentir, cuando un depredador le dice directamente una afirmación engañosa para conseguir algo de la otra persona, retener información a su víctima se usa como forma de mantener a su objetivo en desventaja. Cuando un depredador le retiene información a usted, hace esto con el claro conocimiento de que si usted no tiene esta información le deja a este con la ventaja y asegura que consigue exactamente lo que quiere de usted, se dé usted cuenta o no.

Por ejemplo, digamos que un depredador quiere que pase tiempo con sus amigos, pero usted quiere pasar tiempo a solas con este. Para salirse con la suya, un narcisista le invitará a algún sitio sin decirle que sus amigos estarán presentes en esa cita, sabiendo que así usted dirá *sí* a la invitación. Una vez llegue, sin embargo, verá que sus amigos están ahí y que nunca tuvo ninguna intención de pasar tiempo juntos los dos solos. Si intentara hacer frente al depredador por esta acción, simplemente lo menospreciaría y diría algo como "claro que no sabía que venían. Usted nunca preguntó". En este caso, técnicamente tiene razón, y le deja en desventaja porque no puede discutir con él, porque tiene razón. Sin embargo, es un caso de manipulación porque sabía perfectamente que usted no preguntaría, por tanto, haciendo del hecho de que retuvo información tanto manipulador como malicioso.

La mejor forma de defenderse de este tipo de comportamiento predatorio es buscar las señales del comportamiento predatorio y entonces mantenerse alejado de esta persona o hacer muchas preguntas. Aunque las respuestas parezcan obvias, no se asuste de preguntar o presionar por *toda* la información. Aunque esto es probablemente excesivo e innecesario en la mayoría de las relaciones, si tiene cualquier razón por la que creer que alguien pueda estar manipulándole en su propio beneficio, usar estas estrategias pueden ayudarle por lo menos a intentar descubrir cuál podría ser la verdad, si realmente lo necesita.

Cambios de humor

Los depredadores son conocidos por tener constantes cambios de humor, cambiando rápidamente entre alegre y satisfecho a enfadado e insatisfecho. Mientras que la causa psicológica de esto es irrelevante, el comportamiento en sí se usa como herramienta contra usted para dejarle inseguro y en una extrema desventaja. Cuando nunca sabe de qué humor estará el depredador, será difícil para usted determinar qué esperar en cualquier momento que está a su alrededor. De esta forma, cada vez que se aproxima a este, tiene que andar con sumo cuidado y hacer todo lo que pueda para asegurarse de que está de buen humor y que siga así. Según las mentiras que le cuenta, puede que le lleve a creer que sus comportamientos y acciones son directamente responsables de sus constantes cambios de estado de ánimo, aunque no tenga nada que ver con usted.

Cuando se encuentra en una situación con un depredador y sus cambios de humor, lo más probable es que le culpe de ello y diga algo como "¡sabe que odio cuando dice eso!" en un intento de hacerle sentir que es su culpa que tenga una reacción tan voluble. En relaciones más avanzadas o apegadas, este tipo de comportamiento se usa para hacer sentir a la víctima que es personalmente responsable del humor de otras personas y que constantemente se tiene que comportar de forma que agrade al depredador. Ya que la persona ha sido atrapada en la manipulación del depredador, en muchos casos, la víctima lo cree voluntariamente y no tiene muchos problemas en hacerse responsable del humor y acciones de la otra persona, incluso cuando estos estados de ánimo acaban haciendo daño a la víctima de alguna manera.

Para el depredador, mantenerle inseguro y andando siempre con mucho cuidado significa que usted está constantemente desequilibrado y que es fácil persuadirle y manipularle para creer cosas que no son verdad. Esto es porque están trabajando en el factor de la conmoción, eliminando ciertas pistas de lo que les enfadaría o les pondría tristes, haciendo que sea virtualmente imposible para usted determinar cuándo y por qué su estado de ánimo cambiará.

Love Bombing y devaluación

Los depredadores, especialmente los narcisistas, usan una herramienta llamada *love bombing* y devaluación para manipular a la gente para que se enamoren de ellos y después usar esta emoción en su contra. *Love bombing* es una táctica donde un narcisista cuidadosamente escucha para saber lo que quiere y necesita en una pareja y entonces empieza a actuar como si fuese la pareja perfecta para usted, llevándole a creer que le ha tocado la lotería romántica. Harán todo lo que puedan para que caiga rendido a sus pies, como traerle regalos, hacerle cumplidos, hacerle sentir especial y escucharle atentamente (o eso parece). Todo lo que hace el narcisista durante la fase de *love bombing* tiene la intención de enamorarle y bajarle la guardia, mientras que también le hace sentir como si estuviera profundamente enamorado del narcisista, creando, por tanto, una profunda conexión y apego entre los dos.

Una vez su *love bombing* haya tenido éxito, un narcisista pasará a la fase de devaluación. Aquí es donde empiezan a usar toda la información que aprendieron cuando estaban escuchándole en su contra, haciéndole sentir como si fuera un inútil y recalcando sus defectos para mostrarle por qué no merece su amor o atención. Esta experiencia es extremadamente dolorosa para la víctima, especialmente porque pasa de repente y sin aviso ni señales. El narcisista siempre le culpará de su conducta, diciendo que la única razón por la que le está tratando como si fuese despreciable es porque hizo algo mal para ganarse ese trato. Dirán cosas como "hago todo por ti ¿y así es como me lo pagas?" permitiéndole usar su fase de *love bombing* como un arma contra usted, aunque usted nunca pidió nada de eso y todo lo que obtuvo del narcisista fue ofrecido abiertamente.

Este tipo de comportamiento es muy difícil de predecir y del que protegerse porque, normalmente, se hace de una forma que resulta abrumadora y sobre-estimula su cerebro con sustancias químicas de amor como la oxitocina y la dopamina. Lo que acaba pasando es que se siente tan abrumado con amor, que cuando es arrancado de usted durante la fase de devaluación, se desespera por recuperarlo y empieza a hacerse responsable de todo solo por poder volver otra vez a la fase de ensueño de *love bombing*. Únicamente que esto es exactamente lo que el narcisista quiere y espera; así es como alimentan su propia necesidad de sentirse amado e importante, abusando de usted.

Castigo

Los depredadores constantemente castigan a la gente cuando no se comportan *correctamente*. La forma en la que los depredadores castigan a alguien varía, dependiendo básicamente del depredador en sí, lo que les ha funcionado en el pasado, y lo que piensan que les funcionará mejor para ellos en ese momento. Los castigos pueden oscilar entre cosas como ignorar o gritar hasta la violencia física y el abuso mental, y siempre se realiza con la intención de forzar a la víctima a obedecerles.

La fase de castigo con los depredadores puede ser particularmente peligrosa porque usted nunca sabe de lo que son capaces o lo que le harán cuando decidan empezar a castigarle. Sus castigos siempre pretenden ser aterradores y abrumadores, ya que le deja sintiéndose inseguro y le deja queriendo atenerse a casi todo lo que diga o haga, cualquier cosa que quieran, porque confían en que usted no querrá provocarles más. Como resultado, consiguen todo lo que quieren, y les deja suplicando por su perdón y haciendo cualquier cosa por restaurar la paz para que usted pueda parar de temer por su vida.

El castigo no es exclusivo de las relaciones estrechas. Este tipo de comportamiento predatorio no es solo algo que pasa entre cónyuges y familiares, a pesar de lo que indujeron a pensar a mucha gente. Esta conducta puede ocurrir entre cualquiera, pero especialmente cuando un depredador tiene una posición de poder o ventaja sobre la otra persona. Por ejemplo, su jefe puede usar el castigo como forma de presionarle para que acepte más trabajo de lo razonable para su posición o sueldo porque sabe que no arriesgará su trabajo, y, a fin de cuentas, este tiene el poder de despedirle o no. Aunque tengan que cumplir con ciertas obligaciones legales, un jefe verdaderamente manipulador tiene claro que usted sabe que puede despedirle fácilmente y hacer como que cumple estas obligaciones legales como su jefe. Este es un ejemplo perfecto de cómo cualquiera puede usar el castigo como forma de ejercer poder sobre otra persona y mostrar un acto manipulativo de conducta predatoria, sin importar la naturaleza de la relación que comparten con la otra persona.

Negación

Si ha escuchado alguna vez el dicho "si le pillan, niéguelo, niéguelo, niéguelo" entonces usted tiene una buena idea de la mentalidad de un depredador a la hora de negar hechos. La gente que es manipuladora sabe que, si nunca admiten nada, nunca se les puede responsabilizar de sus acciones, lo que significa que nunca tendrán que sufrir personalmente las legítimas consecuencias. Incluso aunque usted sabe que son culpables de hacer algo, si nunca lo admiten, pueden empezar a distorsionar su realidad y llevarle a creer que usted está intentando juzgarle cuando en realidad son inocentes.

Los depredadores negarán absolutamente todo, no solo cuando temen ser pillados, sino en general. Al negar con frecuencia todo, incluso cuando no están siendo acusados de nada, no solo pueden mitigar la responsabilidad o tener que rendir cuentas, sino que también le dejará sintiéndose como si fuera incapaz de confiar en su propia percepción o memoria. Esto significa que cada vez que quieren mentirle a usted o culparle de algo que nunca hizo realmente, usted ya duda de usted y su percepción, haciendo que sea más fácil para ellos hacerle pensar que realmente es su culpa o que lo que pensó que vio u oyó nunca pasó en realidad.

Una forma clave en la que los depredadores usarán esto en su beneficio es cuando está en público, y usted intenta confrontar al depredador frente a otra gente. Los depredadores negarán todo lo que diga en frente de otra gente, y lo harán de forma que parezca que usted está loco o no es una fuente fiable de información. Pueden decir algo como "eso nunca pasó. ¡Siempre se olvida de cosas así!" o "ya está, inventándose historias otra vez". Este tipo de actitud se usa para manipularle mientras que hace que el resto crea que es un mentiroso para que no le crean, haciendo que sea difícil para usted encontrar a alguien al que acudir cuando necesita encontrar un lugar seguro de su relación abusiva.

Invertir la realidad

A los depredadores y manipuladores se les da genial invertir la realidad para satisfacer sus necesidades. De esta forma, técnicamente no están mintiendo, sino que están presentando los hechos de forma que le lleva a ver las cosas desde su retorcida perspectiva, ayudándole a disimular las cosas que no quiere que sepa o se dé cuenta. Cuando una persona manipuladora invierte la realidad, lo hará de forma sutil y poderosa. Puede que también intente compensar en exceso la *nueva verdad* para intentar abrumarle con hechos e información, presionándole para que le crea sin pensar críticamente sobre nada de lo que le está diciendo.

Un área común donde se ve esto es en política, donde los políticos reconocen hechos viables que se les presentan y después intentan distorsionar estos hechos para que les sirvan para su propia agenda. Por ejemplo, digamos que usted se enfrenta a un político respecto a una estadística sobre el desempleo diciendo algo como "todavía hay un 45% de desempleo, algo que es completamente desmesurado". Un político usando tácticas manipulativas podría decir algo como "sí, hemos aumentado el empleo hasta el 55% este mandato", para que parezca que han hecho algo positivo. En realidad, puede que solo haya incrementado la tasa de empleo un 1%, pero como invierten el hecho para alejar la atención de sus defectos, pueden manipular a la gente para creer que están haciendo algo bueno, aunque no sea así.

Esto no pasa solo en política. Distorsionar la verdad es una táctica común usada por depredadores, a veces sin una intención clara de lo que están buscando obtener de ello. En algunos casos, simplemente están refinando su práctica o invirtiendo la verdad porque están tan acostumbrados a manipular a otros que no pueden tener una interacción básica sin incluir tácticas como la manipulación en una conversación.

Minimizar

Los depredadores siempre intentarán minimizar sus propias acciones mientras que maximizarán las suyas, haciendo que parezca que lo que ellos hacen prácticamente no es malo y que lo que usted hace es cruel al máximo. Puede que también intenten mitigar su responsabilidad y minimizar su culpabilidad invirtiendo la culpa para que usted, u otra persona, tengan que rendir cuentas por sus acciones en vez de estos. Al hacer esto, los depredadores hacen que parezca que en realidad no son tan malos y que el verdadero problema es usted, u otra persona, que le hacen parecer malo. De esta forma, intentan victimizarse para que usted deje de culparles y puedan salirse con la suya constantemente.

Usted puede saber si un depredador está usando la estrategia manipulativa de minimizar siempre que escucha algo como "sí, hice eso, pero no es tan malo como parece" o "no es mi culpa porque X o Y lo hacen todo el rato". Al decir cosas así, harán que parezca que su comportamiento y acciones no son tan destructivas o dañinas como son en realidad. La mayoría de los depredadores dominan esta técnica para que puedan alejar la atención de ellos mientras que consiguen que piense que sus acciones no son realmente tan malas, aunque lo sean. Como resultado, usted internaliza su ira y se encuentra sintiéndose menos frustrado con el manipulador y más frustrado en general, lo que al final les ayuda a no tener que ser responsables de sus acciones.

Hacerse la víctima

Minimizar su propia conducta mientras que maximiza la suya no es la única forma en la que los depredadores intentarán hacerse la víctima en su relación. En realidad, hay muchas estrategias que los manipuladores usan para que parezca que son ellos los que están siendo tratados de forma injusta o sufriendo y usted es el responsable de su sufrimiento. Usarán una serie de estrategias para conseguir esto, como mentir, invertir la verdad, retener información, minimizar y negar cosas, para que parezca que nunca hicieron nada mal, y que fue usted. Con esto, crean una telaraña de mentiras que le establecen como el malo de la película y ellos como los inocentes, haciéndole sentir que es su culpa y que tiene que dejar de ser tan duro con ellos.

Cuando una persona manipuladora intercambia los papeles de esta forma, pueden conseguir que les compadezca y elimine la necesidad de sufrir las consecuencias de sus propias acciones. También son capaces de confundir aún más y arrebatarle sus defensas dejándole completamente confuso sobre la verdadera dinámica de la relación. Esto no solo hará que se sienta culpable y con remordimientos por algo que probablemente nunca hizo, sino que también le deja sintiendo que no hicieron nada malo *y* que usted es incapaz de fiarse de sí mismo, sus acciones, su percepción y su memoria.

Este comportamiento puede ser dañino de experimentar, pero los depredadores consiguen que sea incluso más dañino cuando incluyen un público a la experiencia. Al hacerse las víctimas en público frente a otra gente, no solo le despojan de su credibilidad, sino que también crean la ilusión de que es *usted* el que les está lastimando a *ellos*. Esto le permite al depredador desarrollar todo tipo de emociones tóxicas dentro de usted, desde vergüenza hasta miedo, porque saben que usted se sentirá culpable por ser visto como abusivo y que le dará miedo que, como resultado, la gente le vea como peor persona. Como saben que usted quiere que le vean como una buena persona (y usted es una buena persona), intentarán destruir su credibilidad y fiabilidad a través de acciones como esta para que puedan aislarle de todos a su alrededor.

Usar refuerzo positivo

Igual que un depredador intentará usar el castigo como forma de frenar su conducta y evitar que haga las cosas que no quiere que haga, también usará el refuerzo positivo para condicionarle a hacer cualquier cosa que quiera que haga. El refuerzo positivo se usa para cautivarle y hacerle creer que son capaces de ser gente positiva, aunque la verdad es que no lo son. En cambio, simplemente saben que esta forma de conducta halagadora le ayudará a edulcorar las acciones tóxicas en las que se han involucrado y desviar la atención hacia otro lado; consiguiendo que se concentre en lo bien que le hacen sentir en vez de en lo mal que le hacen sentir.

Algunos ejemplos de cómo un manipulador usará el refuerzo positivo incluyen, desde constantemente disculparse por su comportamiento, hacerle regalos y muestras de su aprecio, alabándole, cautivándole en exceso, dándole atención extra o dándole dinero. Cuando hacen cosas como estas, su atención se desplaza de las cosas dañinas que han hecho y, en cambio, se concentra en lo que puede ganar con la relación. De esta forma, es menos probable que se dé cuenta de lo dañina que es realmente la relación y es más probable que se quede ahí.

Estos tipos de refuerzos positivos vienen con dos intenciones subyacentes: aumentar su amor por ellos y condicionarle para que se comporte de la forma en la que específicamente quieren que se comporte. Cuando un depredador puede aumentar el amor que siente por este, sabe que naturalmente empezará a defenderle y justificar sus razones para quedarse con él y alrededor de él sin tener que darle usted una razón válida. Esto está basado en la ley de conducta básica de los humanos tomando una decisión basada en emociones y después justificándola con una lógica sesgada que apoya su decisión emocional. También sabe que usted querrá experimentar más refuerzos positivos y atención de este, lo que significa que se comportará de la forma que le pide para poder conseguirlo. Como resultado, consigue todo lo que quiere, y usted se queda con el papel de su marioneta maltratada, alimentándose de sus maneras manipuladoras sin si quiera darse cuenta de lo que está pasando.

Cambiar las reglas del juego

La gente manipuladora prospera al ser impredecible. Cuando son impredecibles, no hay forma de saber a ciencia cierta lo que está pasando exactamente o qué esperar de estos, de manera que usted es vulnerable a su conducta. Una forma importante en la que los manipuladores le dejarán constantemente vulnerable es cambiando continuamente las reglas del juego o dejando poco claro cuál es su posición en la relación. Si siente que no tiene ni idea de cuál es su situación respecto a la otra persona y que su papel sigue cambiando, por ejemplo, un día todo está bien y al siguiente parece haberles hecho enfadar, probablemente esté lidiando con un depredador.

Los depredadores no dejarán claro cuál es su situación real con ellos cambiando constantemente la nomenclatura de su relación, la forma en la que le tratan o las cosas que le dicen de usted a otra gente. Por ejemplo, puede que un día le describan como su amigo, su pareja al siguiente y como un conocido después. O, puede que le digan a usted que son su pareja y después le dicen a otra persona que son solo amigos y que casi no le conoce. Al comportarse así, los depredadores no dejan claro cuál es su posición en la relación, lo que naturalmente le insta a intentar averiguar cuál es. En esta búsqueda, hace todo lo que puede para delimitar la relación y mantener a la relación dentro de una etiqueta o posición específica para que la relación tenga sentido. Como saben que usted está desesperado por averiguarlo, un manipulador o depredador usará esto en su beneficio para que pase por el aro y haga cosas impensables para asegurar una etiqueta específica, solo para que vuelva a cambiar de nuevo justo cuando pensaba que ya lo había resuelto.

Distracción

La distracción es una táctica usada por depredadores cuando intentan desviar un tema de sus acciones o conducta y concentrarse en cambio en otra cosa. En esta estrategia particular, el depredador no está intentando culparle o destacar su conducta, sino que intentan desviar la conversación y enfoque lejos de ellos mismos. Esta es una estrategia que introducen en sus conversaciones tan sutilmente que parece que la conversación ha cambiado de enfoque de forma natural cuando, en realidad, lo han hecho adrede para cubrir sus acciones y seguir sin que les culpen de nada.

No es poco común para los depredadores usar la distracción, aunque no estén intentando esconder nada específico o conseguir que usted no descubra algo. En cambio, lo usarán simplemente para que la conversación siga alejada de ellos y concentrada en otras cosas. Al hacer esto, pueden evitar tener que acordarse de las mentiras que han contado, potencialmente diciendo cosas que contradicen algo que ya dijeron o algo que les llevaría a tener que cubrir su rastro. A menudo esto es un comportamiento perezoso usado por los depredadores para intentar esconder la verdad cuando les da demasiada pereza tener que cubrir algo si accidentalmente se revela parte de su red.

Otra razón por la que los depredadores pueden hacer esto es si no creen que tengan nada importante que obtener de una conversación o si están intentando sacar información a alguien para usar en otro momento. Por ejemplo, si están hablando con alguien nuevo y no saben de qué alardear o cómo dar una buena impresión a esta persona, puede que desvíen la conversación lejos de ellos para que la nueva persona pueda hablar. Con esto, pueden acumular información sobre esta nueva persona y tramar su estrategia para ganarse la confianza o afecto de esta persona y después usarla en su contra, consiguiendo que sean una nueva víctima del comportamiento del depredador.

Sarcasmo

El sarcasmo es una táctica común usada para confundir a las víctimas y que el depredador parezca inteligente y creíble. Una forma básica en la que el depredador usará el sarcasmo es ser sarcástico con la víctima en presencia de otra gente, ayudando, por tanto, a reducir su autoestima y confianza en sí misma y pavoneándose de lo poderoso que es. Frases comunes que usan los depredadores incluyen cosas como "claro, idiota, eso es exactamente a lo que se referían" o "no me digas". Estas pequeñas pullas tienen un gran poder para hacer que la víctima acabe con una autoestima incluso más baja, dañando aún más su habilidad de contraatacar o defenderse de su depredador.

En conversaciones personales, el sarcasmo se usa a menudo como forma de ocultar sus mentiras o esconder información que el depredador no quiere que la víctima sepa. Por ejemplo, si vuelve a pensar en la historia de Thomas Edison y Nicola Tesla, puede que recuerde la parte de la historia donde Edison ofrece a Tesla $50.000 para terminar el trabajo. Una vez Tesla completó el trabajo, Edison usó el sarcasmo para encubrir el hecho de que nunca tuvo ninguna intención de pagar a Tesla $5.,000 a cambio de sus servicios riéndose y diciendo "¡Usted no entiende el humor americano!". Esta era una forma de sarcasmo usado para encubrir el hecho de que Edison hizo una oferta que nunca iba a cumplir, haciéndole sentir a Tesla humillado y como si hubiese cometido un error en vez de sentirse engañado por un trato falaz.

Culpabilizar

Culpabilizar a sus víctimas es una forma en la que los depredadores pueden hacer que sus víctimas se sientan personalmente responsables por la forma en la que le han tratado debido a algo que han hecho, ya sea en general o al manipulador. Culpabilizar permite al depredador llevar a su víctima a pensar que son mezquinos, maníacos o abusivos con otras personas. Esto lleva a la víctima a sentir como si hubieran hecho algo mal y necesitan cambiar o tener más cuidado con su comportamiento para evitar herir a aquellos a su alrededor. A menudo, culpabilizar está mezclado con validación, que deriva de acciones que han sido tergiversadas para hacer que parezca que la víctima estaba siendo mezquina intencionadamente cuando, en realidad, no lo era.

Por ejemplo, digamos que está saliendo con sus amigos y un amigo derrama café en su camiseta y usted se ríe de su torpeza, sabiendo que su amigo también se está riendo de sí mismo, aunque en ese momento parezca enfadado o frustrado. En realidad, esto es simplemente una experiencia graciosa y lo más probable es que a su amigo no le importe que se esté riendo de él por lo que pasó. Sin embargo, un depredador puede llevarle a pensar que reírse de un amigo porque ha derramado un café es abusivo y que ha humillado a su amigo y ha conseguido que ya no le caiga bien a este. Puede que use el hecho de que no han hablado en varios días como prueba de que ya no le cae bien a esta persona, aunque sea normal que su relación pase por periodos donde hablan más y otros menos. Ya que le han hecho sentirse culpable, empieza a creer que es realmente una persona destructiva y que hiere a aquellos en su vida, como un manipulador que probablemente afirme que usted le ha herido de alguna manera, aunque usted no lo haya hecho.

Este tipo de comportamiento le lleva a sentirse ultra-consciente de todo lo que hace e intentar compensarlo desarrollando un profundo sentido de conciencia de sí mismo. Al obsesionarse con cada acción que lleva a cabo y dudando de todo lo que hace, usted intenta evitar herir a otra gente con sus *maneras destructivas*. En realidad, usted nunca hirió a nadie en primer lugar, pero ahora, su autoestima es baja y su percepción ha sido alterada, así que, de nuevo, está a merced del manipulador y sus maneras engañosas.

Adulación

A los depredadores les encanta adular y cautivar para ganarse la confianza de la gente y conseguir su respeto. Normalmente, los depredadores son muy encantadores con todas las personas que conocen, ya que esto les permite ser percibidos como amables, simpáticos y de confianza. Esto también les asegura que nadie sospeche que son depredadores, dejándoles, por tanto, hacer todo lo que quieran sin que nadie sospeche de ellos porque son *demasiado amables* como para hacer una cosa así. Un depredador hará esto con todo el mundo, incluso a su víctima, ya que esto asegura que se queden en el lado positivo del radar emocional de todo el mundo, lo que les permite ser libres para hacer lo que quieran sin que nadie sospeche que son depredadores.

Si se da cuenta de que alguien parece estar halagándole más de lo normal o parecen excesivamente interesados en encontrar razones para adularle de formas que se salen del halago estándar, tenga cuidado. Estas son las acciones típicas de un depredador que está intentando hacerle sentir especial y único para que puedan sembrar el caos en su estado mental para su propio beneficio. Aunque le parezca algo positiva, tenga cuidado y mantenga la guardia alrededor de esta persona hasta que esté muy claro que usted está a salvo a su alrededor y que no le hará daño. Más aún, esté listo para prestar atención a los otros comportamientos comunes de un depredador, como *love bombing* y devaluación, para asegurar que no es arrastrado hacia su ira.

Hacerse el inocente

Los manipuladores son maestros a la hora de fingir sus emociones y hacerlo con tanta elegancia que es virtualmente imposible saber si dicen la verdad o no. Al fingir magistralmente sus emociones y esconder sus verdaderos sentimientos y expresiones, un manipulador puede cubrir fácilmente sus ofensas con expresiones de shock, confusión y ponerse a la defensiva. Cuando un manipulador se hace la víctima, lo hace de forma tan sutil que la verdadera víctima sinceramente cree su reacción y empieza a cuestionarse si sus acusaciones son fundadas o no.

Una forma en la que los manipuladores pueden mejorar incluso más la habilidad de hacerse la víctima es mantener sus actos de manipulación y abuso sutiles pero muy eficaces. Por ejemplo, invertir la verdad no significa que mientan, sino que usaron la verdad en su beneficio para distorsionar la realidad de su víctima. Entonces, cuando su víctima intenta llamarles la atención y establecer que lo hizo aposta, el manipulador se hará la víctima y pretenderá que está sorprendido y dolido porque la víctima pudiese pensar una cosa así. Esto deja a la víctima preguntándose si el hecho de darle la vuelta a la verdad fue intencionado y hecho con malicia o si fue un error o si no pasó en absoluto.

Los manipuladores saben que, si reaccionan a las acusaciones con conmoción y sorpresa, subconscientemente presionarán a la verdadera víctima para que se sienta mal e intente compensar por *atacar* al manipulador. En realidad, nunca hubo un ataque porque la víctima simplemente le estaba llamando la atención al manipulador por su conducta maliciosa. Sin embargo, ya que la víctima se cree la reacción de sorpresa del manipulador, empiezan a sentirse culpables por acusar al manipulador y por tanto empiezan a compensarle por sus acusaciones *falsas*. Al final, las huellas del manipulador se han cubierto y la víctima nunca llega hasta el fondo de las tácticas manipulativas que utilizaron contra esta.

Agresión excesiva

La agresión es un comportamiento que induce ansiedad y que puede causar que cualquier persona que no esté expresando agresión se sienta asustada e insegura. A los manipuladores se les conoce por usar excesivas cantidades de agresión como forma de consternar a sus víctimas y forzarles a un estado de sumisión. Cuando una persona manipuladora se vuelve agresiva, sus acciones y conducta se vuelven impredecibles, haciendo que las personas en su entorno se sientan inseguras e indecisas sobre lo que esperar del manipulador. Lo más probable es que el manipulador esté yendo de farol con la agresión para poder salirse con la suya, pero en algunos casos, la agresión puede llegar tan lejos como para causar serios daños físicos a aquellos a su alrededor. Esto es especialmente común entre narcisistas, psicópatas y sociópatas que no tienen ninguna empatía y que parecen no tener capacidad para evitar herir a alguien, ya que no sienten las consecuencias de su comportamiento hiriente.

Cuando una víctima, especialmente una víctima durante mucho tiempo, ha sido expuesta a la conducta agresiva del manipulador, inmediatamente cumplirán con todo lo que el manipulador les pida porque quieren que termine el comportamiento agresivo. Esta es la única forma en la que la víctima realmente sabe que está a salvo de la agresión. El manipulador reconoce esto y sabe que la agresión hace que su víctima sea sumisa, de manera que la usa siempre que quiere que su víctima haga lo que quiera. Con algunos manipuladores, se usa la agresión como último recurso cuando las otras tácticas no funcionan, y se sienten como si estuvieran perdiendo el control. Con otros, se usa a menudo como forma de desconcertar a la víctima y dejarles inseguros y temerosos para que nunca sepan qué esperar.

Otra razón por la que los manipuladores usan la ira es para intentar terminar las conversaciones rápido y sin preguntas. Cuando una persona manipuladora se enfada excesivamente durante una conversación, en muchos casos, lo hacen para intentar terminar la conversación para que su víctima se confunda. Esto aleja la atención del tema de la conversación original y pone a la víctima en un estado donde intentar controlar la ira del agresor, ayudándole, por tanto, a enterrar el tema original y evitar que les *pillen*. En esta situación, la víctima recuerda que intentar presionar para obtener más información sobre el tema original lleva a una experiencia aterradora con el manipulador, por lo que será menos probable que insistan para obtener respuestas o cuestionar al manipulador respecto a ese tema.

Aislamiento

Los depredadores siempre intentarán aislar a la víctima para que sea más fácil de controlar. Puede que reconozca esto por los depredadores sexuales que salen en las noticias, donde usan a víctimas aisladas como sus objetivos porque no hay nadie que pueda prevenir que entren en acción. Por ejemplo, una chica sola de camino al baño o caminando sola a su casa por la noche. Estos son blancos excelentes para depredadores sexuales que quieren aprovecharse de alguien para satisfacer sus propios deseos enfermos y retorcidos. Los depredadores sexuales no son los únicos que usarán el aislamiento como forma de manipulación para ayudarles a conseguir lo que quieren. Virtualmente cualquier persona manipuladora usará esto como estrategia para salirse con la suya porque saben que es más fácil convencer y manipular a una persona en vez de a muchas. Esta es la razón por la que los niños pequeños que están aprendiendo a conseguir lo que quieren preguntarán solo a un padre, el padre más generoso, cuando quieran algo que piensan que no podrán conseguir y que obtendrán un *no* de sus padres. En el caso de los niños, sin embargo, la mayoría de las veces, simplemente son muy pequeños, y esta es una fase que puede ser corregida por los padres cuando ven esta conducta. En adultos y niños que no han aprendido que este tipo de comportamiento está mal, este tipo de conducta manipuladora se usa para conseguir lo que quieren de otros.

Usar la técnica del aislamiento funciona mejor cuando una persona quiere hacer algo malicioso y no quiere testigos que podrían potencialmente evitar que lo consigan. En relaciones abusivas, esto puede ser algo como aislar poco a poco a su víctima de todos sus amigos y familiares haciendo que todos sus seres queridos piensen que son unos mentirosos que están abusando de la persona manipuladora y no al revés. En el lugar de trabajo, por ejemplo, puede que su jefe espere hasta que esté solo antes de aproximarse e intentar presionarle para que haga algo como trabajar más de lo razonable para su puesto. Entre sus amigos, puede ser un amigo intentando aislarle con el fin de intentar reclutarle para hacer algo malévolo o desagradable a otro amigo, como dejarle tirado o hacerle una broma de mal gusto. Hay muchas formas en las que este comportamiento puede usarse para intentar manipular a otra persona para que haga cosas que no quiere. Esto es porque los manipuladores saben que cuando alguien está aislado, está más asustado a la hora de decir *no* porque no hay nadie que le pueda proteger de la cólera del manipulador. Si la víctima ya sabe de lo que es capaz el manipulador, estará aún más asustado porque le preocupa que si no cumplen con los deseos del manipulador, llevará a serias consecuencias negativas. Al mantener a sus víctimas aisladas, el manipulador puede distorsionar fácilmente la realidad de la víctima y presionarla para que haga todo lo que quiera, ya que la víctima cree que no tiene otra opción para protegerse.

Fingen amor y empatía

Los verdaderos depredadores que se sabe que son psicópatas, sociópatas o narcisistas no saben cómo experimentar amor y empatía por nadie excepto por ellos mismos. Esta es la razón por la que pueden tomar parte de tácticas de poder maquiavélico sin sentir ningún tipo de remordimiento o culpa por sus acciones: porque creen genuinamente que todos los demás son malas personas y ellos son las víctimas del mundo entero. Con esta mentalidad, pueden aislarse mental y emocionalmente de todos los demás y usar una mentalidad de *yo contra todos los demás*. Esta es la razón por la que no sienten absolutamente ningún remordimiento por herir a la gente a su alrededor y usar a otros como peones en su estratagema para obtener más poder de aquellos en su entorno. Para ellos, todo el mundo es una persona horrible, y se merecen el dolor causado por el manipulador.

Aunque esta sea la verdadera mentalidad del depredador, nunca dejarán que nadie sepa cómo piensan y se sienten en realidad. Esto es porque los depredadores saben que otra gente prospera con empatía y amor en sus vidas y creen realmente en estas dos cosas y las comparten libremente con aquellos a su alrededor. Al fingir muestras de amor y empatía con otros, los depredadores se camuflan con la sociedad general y empiezan a sembrar el caos en la persona que les gusta porque saben que así pueden evitar ser detectados.

Cuando un depredador muestra empatía o amor, lo que realmente están haciendo es imitar lo que ven en otros. Su empatía y amor son completamente falsos, y las formas en las que lo muestran están basadas en las interacciones que han visto tener lugar entre otros y no basado en los sentimientos genuinos que sienten ellos mismos. Por esta razón, los depredadores no sienten realmente amor o empatía por nadie, que es lo que hace que sea tan fácil para ellos usar a sus víctimas y hacerles cosas crueles e impensables.

Capítulo 7: Ganadores embaucadores

Cuando hablamos de gente que practica el poder maquiavélico, siempre tiene un único objetivo: ganar. Quieren todo y siempre se niegan a conformarse con nada menos que lo que desean. Para mucha gente, este tipo de cualidad tenaz es positiva y puede llevar a que se esfuercen para conseguir los resultados deseados y ser feliz con el resultado positivo que obtienen. Con los maquiavélicos y gente que usa la psicología oscura, este tipo de determinación significa que no se detendrán ante nada para ganar y no les asusta dar pasos inmorales para conseguir el éxito.

La gente maquiavélica utiliza cuatro tácticas para ganar a todo, llevando el engaño al nivel de arte. Esto incluye engañar a otros sobre sus verdaderos recursos; engañar a la gente para que se crean sus estrategias; usar el engaño como parte de un plan superior y cubrir su rastro para que no les pillen. El engaño es una herramienta de poder importante usada por maquiavélicos para utilizar sus tácticas inmorales para ganar y salirse con la suya sin que nadie nunca les culpe de sus estrategias manipulativas. En este capítulo, vamos a descubrir cómo los líderes maquiavélicos usan estas tácticas para conseguir lo que quieren prácticamente en todas las situaciones.

Engañar a la gente sobre sus recursos

La mayoría de la gente que está intentando cerrar negociaciones o ganar algo, lo hará siendo honesto sobre sus recursos y usándolos de forma creativa para producir los resultados deseados para ambas partes. Esta es la forma de seguir siendo honesto mientras que son capaces de conseguir un acuerdo próspero entre ellos mismos y aquellos a su alrededor. Por ejemplo, un político quiere ganar unas elecciones, pero quieren hacerlo de forma honrada respecto a sus recursos y capacidades. En su campaña, el político tendrá que ser honesto sobre lo que son realmente capaces de conseguir y qué recursos tienen para apoyarlos, y después propondrá soluciones a los deseos de sus votantes que es capaz de cumplir de forma realista. Este tipo de campaña es honesta y transparente y les da a los votantes una sensación realista de lo que se puede conseguir y cómo.

Para alguien que está dispuesto a ganar usando poderes maquiavélicos, sin embargo, traerán engaño a la práctica y empezarán a engañar a los votantes para hacerles creer que el político puede hacer más de lo que puede en realidad. Sin embargo, el ganador embaucador nunca dirá específicamente lo que conseguirá cuando llegue al gobierno. En cambio, proporcionará ideas y propuestas. Según ofrece ideas y propuestas, el político embaucador las formulará de forma que parezca que *seguro* conseguirá que ocurran, pero incluirá pequeños matices para que se puedan echar atrás más tarde. De esta forma, cuando le hagan preguntas después de ganar, como "usted dijo que haría X, ¿cuándo lo hará?", podrá contestar algo como "yo nunca dije que lo *haría*, sino que lo *intentaría*". Cuando los votantes vayan a revisar las grabaciones de su campaña, se darán cuenta de que usó varios juegos de palabras en sus declaraciones que dejaban claro que no estaba siendo transparente, pero habían sido escondidos de forma magistral. De esta forma, el político técnicamente no está mintiendo, y los individuos que se enfrentan a él no pueden encontrar argumentos sólidos con los que discutir, así que son incapaces de acusar al político de mentir. En cambio, el político ha engañado satisfactoriamente a todos para que le crean y así ganar las elecciones. Una vez hayan ganado, es demasiado tarde para que los votantes hagan algo para dar marcha atrás.

Cuando una persona usa el engaño para esconder recursos, están intentando asegurarse de que todo el mundo crea en sus aptitudes, pero nadie ve realmente que no tienen los medios para conseguir sus promesas propuestas. Como resultado, pueden ganar sus juegos engañosos con un gran número de seguidores que son incapaces técnicamente de señalar las ofensas del ganador embaucador, de manera que les cuesta determinar si sus acciones eran falsas o no.

Engañar a la gente para que crea en su estrategia

Cuando un líder maquiavélico no puede engañar a la gente para que crea en sus recursos, pasará a engañarles para que crean en su estrategia. O, a veces, combinarán ambos tipos de engaño para crear una red de mentiras y confusión masiva que hace que sus simpatizantes continúen apoyando su misión. Al engañar a la gente para que crean que tienen una gran estrategia que puede usarse para conseguir un objetivo común, los líderes manipuladores pueden conseguir seguidores que les apoyan en su causa, aunque su causa esté lejos de ser honesta o realizable.

La táctica clave que un manipulador usará para conseguir el apoyo de alguien cuando están intentando ganar algo es el alarmismo. Con alarmismo nos referimos a infundir mensajes de miedo en aquellos a su alrededor y llenarles la cabeza con ideas de que están en peligro o que, si no se lleva a cabo una acción, va a pasar algo terrible. Este tipo de comportamiento es conocido como *guerra psicológica* y coincide con otras formas de guerra psicológica como el aislamiento, la culpabilización de la víctima, el *love bombing* y otras conductas manipuladoras.

Una vez que la gente esté asustada, están llenos de miedo e inmediatamente buscan formas de protegerse contra dicho miedo. Esto les hace mucho más complacientes a la hora de escuchar la propuesta de un líder maquiavélico y creer en esta porque, en ese momento, no están pensando racionalmente y están listos para hacer todo lo que puedan para protegerse.

Un gran ejemplo de esto en la historia reciente es la propuesta de Donald Trump de construir un muro entre Estados Unidos y México. Siendo realistas, es poco probable que un muro evitase que entrara gente si realmente quisiesen entrar, simplemente encontrarían otra forma de entrar ilegalmente en el país y seguir haciendo lo que estaban haciendo igualmente. Más aún, el alarmismo permitido por Trump de cubrir el hecho de que los inmigrantes ilegales no son un gran problema como nos hacen creer, ni eran el mayor el problema al que se estaba enfrentando el país en ese momento. Sin embargo, Trump sabía que esto era una verdadera preocupación para la población de buscadores de empleo que les estaba costando encontrar trabajo y sabía que al infundir el miedo de que nunca encontrarían trabajo mientras los inmigrantes siguiesen llegando al país, haría que ganara su apoyo. Con esto, ganó inercia, y fue capaz de exagerar el problema y llamar mucho la atención a través de este hecho aislado. Aunque Trump no tenía los recursos para construir el muro, hizo parecer que sí tenía la estrategia para conseguirlo: forzar al gobierno mexicano a construirlo. Como ha infundido tanto miedo en sus simpatizantes, la gente creyó que su estrategia funcionaría y le apoyó al 100%.

El engaño es una herramienta, no un plan

La gente que está intentando ganar a través del engaño sabe que el embuste en sí no es todo el plan, sino que es una herramienta usada para que ocurra un plan mayor. Si un ganador embaucador dependiese solamente del engaño como plan, su estratagema probablemente se desmoronaría rápidamente, ya que la gente se daría cuenta de que está usando el engaño, porque probablemente abusaría de él. Además, les impediría alcanzar el éxito porque no tendrían una decisión clara respecto a dónde van o qué están haciendo para conseguir el éxito en la dirección escogida.

En vez de usar el embuste como un plan principal para ganar, los líderes maquiavélicos lo usarán como herramienta para ayudarles a cubrir su plan real y evitar que les descubran. De esta forma, un líder manipulador puede trabajar en el plan real entre bambalinas mientras todos sus seguidores permanecen ajenos a las idas y venidas del líder. Cada vez que se centra la atención en ellos por sus motivaciones reales, simplemente usarán más engaños para cubrir su rastro y evitar que les pillen. Si el engaño en sí deja de funcionar, los verdaderos manipuladores todavía contarán con abundantes herramientas para ayudarles a mantener a sus simpatizantes fuertes y serviciales. Por ejemplo, desatando emociones fuertes dentro de sus seguidores y después manipulando sus emociones para usarlas como herramienta para que sigan siendo leales y complacientes.

Un líder maquiavélico o ganador embaucador sabe que, si su oponente descubre su engaño, puede usarse rápidamente para destruir por completo su capacidad para alcanzar el éxito. Esta es la razón por la que usan el engaño con moderación y lo mezclan con ofertas genuinas y honradas, a menudo vinculadas con otras tácticas manipulativas como invertir la verdad o inspirar emociones específicas en su público, que les respaldan para creer en el engaño del manipulador. También crearán y mantendrán una tapadera cuando usen el embuste para evitar que les descubran. Al dar una razón falaz a sus acciones engañosas, pueden hacer que parezca que están siendo sinceros y honrados, y evitar que su público se vuelva en su contra, causando, por tanto, que pierdan el apoyo que requieren para ganar. El engaño es simplemente una herramienta usada para ayudarles a avanzar con su plan, no el plan entero en sí.

Use el engaño para cubrir sus huellas

Cuando un líder maquiavélico usa el engaño para ganar, siempre lo hará de forma que mezcle hechos y ficción para que toda su estrategia de engaño no sea una mentira. De esta forma, pueden cubrir sus huellas y evitar ser vistos como verdaderos embaucadores: porque saben que, si cualquiera intentara descubrir su estratagema, simplemente podrán dirigir la atención a las áreas donde estaban diciendo la verdad. Así parece que toda la declaración era verdad, aunque nunca fue sincera y tenía intenciones engañosas.

Usar desinformación y señuelos puede consumir a su oponente con miedo y hacer que vuelva a usted para conseguir más información o verle como una autoridad suprema. Esta es una estrategia común usada a la hora de intentar ganar cualquier tipo de batalla o competición entre líderes maquiavélicos.

Un gran ejemplo donde se usó el engaño para cubrir el rastro y esconder intenciones fue en la invasión de Normandía durante la Segunda Guerra Mundial. En esta guerra, los aliados (Gran Bretaña, Estados Unidos, China y la Unión Soviética) usaron el engaño para paralizar los intentos de Hitler y dejarle confundido e indeciso respecto a lo que iban a hacer para detener su malévola misión. Como los ejércitos falsos y dobles le engañaban constantemente, nunca sabía de verdad qué hacer, de manera que sus tasas de reacción se ralentizaron enormemente. Como resultado, le costaba saber dónde concentrar su energía y cuáles eran las amenazas reales contra su gente. Finalmente, este engaño hizo que él y sus militares perdieran la guerra.

Hitler no solo fue únicamente una víctima del engaño durante esta guerra. También empezó a usar el engaño para ayudarle a crear un ejército falso que usar como señuelo cuando los aliados invadiesen Normandía en el Día D. Como no tenía ni idea de dónde iban a aterrizar los aliados, hizo grandes versiones inflables de tanques y cañones y los colocó en varias áreas a lo largo de la playa. De cerca, estos objetos eran obviamente falsos, pero desde lejos, parecían extremadamente reales. Esto provocó que, cuando los aliados aterrizaron, intentaran protegerse contra ejércitos de Hitler falsos mientras que los reales estaban escondidos a corta distancia de ahí, preparados para luchar contra los aliados. En la Segunda Guerra

Mundial, el engaño era una táctica básica usada para intentar engañar al ejército enemigo para poder ganar. Al final, los aliados ganaron y detuvieron al ejército de Hitler de sembrar el caos.

Conclusión

Este libro debería haberle proporcionado un profundo conocimiento de cómo los líderes maquiavélicos y la gente manipuladora se aprovecha de otros para satisfacer sus propias fantasías retorcidas de su vida. Nunca es agradable que se aprovechen de usted o que le arrastren a la psicología oscura de la gente manipuladora, pero, desafortunadamente, esto le ocurre a la gente a diario, entendiendo cómo son las estrategias engañosas y cómo la gente manipuladora usa la manipulación, el control mental, el engaño, la persuasión, la negociación, la conducta humana y la guerra psicológica para salirse con la suya en la vida. Mientras que todos queremos conseguir nuestros objetivos y vivir nuestras fantasías, alguna gente está dispuesta a llegar a extremos sinvergüenzas para conseguir sus objetivos y realizar sus sueños. A menudo, hieren a mucha gente por el camino y no muestran ningún remordimiento o consideración por el daño que han provocado.

Los líderes maquiavélicos y depredadores pueden ser tan buenos en lo que hacen que usted no tiene ni idea de que está siendo manipulado para convertirse en un peón usado para ayudarles a satisfacer sus fantasías. Debido a su amplia selección de herramientas y estrategias de la psicología oscura, pueden engañarle para creer que todo lo que hacen es honesto y verdadero y usted es el loco por no creer en ellos y sus causas. Al despojarle de su autoestima y de la confianza en sí mismo, un líder maquiavélico puede asegurarse de que nunca cuestionará su juicio o sus acciones y que usted se mantiene fiel a ellos mientras se desvía de sus propios principios. Esto hace incluso más sencillo para ellos el hecho de enredarle en su retorcida conspiración para que pueda apoyarle para ganar su juego de la vida.

Si alguna vez ha sido manipulado por alguien en su vida, lo más probable es que usted haya sido testigo de estos mismos comportamientos entre usted mismo y otro humano. Al leer este libro y obtener un sólido conocimiento de cómo son estas conductas y cómo se usan contra gente sana e inocente, usted puede protegerse mejor de intentos manipuladores futuros. Si la manipulación ha sido un problema para usted en su vida, dejar este libro a mano puede ayudarle a recordar varias herramientas engañosas que los manipuladores usan para victimizar a otros. De esa forma, usted puede evitar ser arrastrado de nuevo al engaño y manipulación en el futuro.

Recuerde, este libro no se escribió para respaldar el comportamiento engañoso o animarle a empezar a manipular a aquellos a su alrededor para salirse con la suya en la vida. La psicología oscura es una táctica peligrosa de usar y, en muchos casos, la persona que la usa perderá, simplemente porque es una estrategia destructiva y cruel para obtener lo que quiere. Aunque parezca una forma sencilla de ganar, realmente no lo es, y puede destruir su vida de alguna de las peores maneras. La gente que vive de esta forma a menudo carece de verdadero amor y empatía en sus vidas, lo cual puede ser una forma triste y dolorosa de existir en este mundo. Evite usar estas características como la forma para conseguir lo que quiere. En cambio, concéntrese en ser honesto y mantener su integridad mientras evita a la gente que usa estos tipos de comportamientos en su propio beneficio. Así es como usted puede ganar realmente.

2ª parte: Persuasión

Técnicas de manipulación muy eficaces para influir a la gente para que haga voluntariamente lo que usted quiera usando PNL, control mental, psicología oscura y un profundo conocimiento de la conducta humana

Introducción

Este libro es una guía práctica de fácil lectura donde obtendrá nuevas habilidades de persuasión de las que beneficiarse en su carrera, el amor, la vida familiar y otras situaciones. También es importante entender cómo pueden usarse técnicas de persuasión para manipularle, como las que implican ingeniería social y varias tácticas de psicología oscura. Ser capaz de reconocer estas tácticas le protegerán de las influencias de estos viles individuos.

Después de completar este libro, usted tendrá un conocimiento profundo de cómo la gente toma decisiones y cómo estas decisiones surgen por influencias externas a nuestra mente. Tendrá la información que necesita para reconocer los métodos que alguien puede utilizar para manipular sus habilidades lógicas y de razonamiento y la información que necesita para influir en otros.

Los siguientes capítulos tratarán la persuasión en general, lo que significa y cómo se usa en el mundo de hoy; cómo gestionar su ego para conseguir mejores resultados persuasivos; palabras y frases a evitar para asegurar la cooperación; formas agradables de conseguir que la gente obedezca; filosofías sobre la persuasión; principios de la persuasión; estrategias de manipulación secretas; técnicas de programación neurolingüística (PNL) y cómo se usan y técnicas de control mental eficaces.

A medida que lee estos capítulos, aprenderá cómo funciona la manipulación mental, cómo obtener las habilidades para reconocer cuándo le está pasando a usted y cómo implementar algunas de las técnicas descritas para entender su potencial. Se le darán sugerencias sobre cómo ser mejor en lo que hace con métodos de persuasión eficaces y cómo está relacionada la conducta humana con la persuasión eficaz.

Capítulo 1: Por qué es importante entender la persuasión

Empecemos con una definición. La persuasión es el acto de formar por argumento, ruego o protesta una creencia, posición o procedimiento. Mientras que la definición es bastante sencilla, el arte de la persuasión es mucho más complicado. Hay varios niveles de persuasión, desde simples sugerencias hasta métodos de control mental que manipulan emociones y desmoronan la psique.

La persuasión es tanto una ciencia con teorías demostradas como una forma de arte. Todo el mundo puede persuadir, influir y animar a actuar. No todos se toman el tiempo de aprender las técnicas que tienen el mayor impacto en el proceso humano de toma de decisiones.

Se puede decir con seguridad que a los seres humanos se les persuade para hacer algo que alguien quiere que haga desde el momento en el que nacen. Padres, profesores, amigos y otros que se encuentra, todos tienen opiniones, consejos, creencias, reglas por las que funcionan, y otros elementos usados para influir el conocimiento, actitud, prejuicios, creencias religiosas o espirituales, estilo de vida, lo que compramos, lo que conducimos y dónde vivimos. A lo largo del curso de la historia, nos decidimos, cambiamos de parecer, nos arrepentimos de algunas decisiones y disfrutamos de las buenas decisiones que hemos tomado.

La vida se trata de elecciones y en una vida, tomamos decisiones cada día. Eso suponen muchas tomas de decisiones durante el tiempo que los humanos han estado en el planeta Tierra. Algunas de estas decisiones estarán basadas en razonamientos sólidos y otras basadas en emociones. Algunas decisiones nos harán avanzar y otras requerirán un paso atrás, una repetición.

Un agente de ventas intentando que haga una compra es practicar sus habilidades de persuasión. Los comerciales intentan influir sus decisiones a favor de sus productos o empresa, marcando a fuego en su conciencia el nombre de la empresa, el jingle musical y el eslogan. Su predicador, imán o rabino usa la persuasión para reforzar las enseñanzas espirituales para asegurarse de que las elecciones que toma siguen un código moral. Un candidato intenta convencerle de que es diferente a los demás y que realmente trabajará por usted en Washington o en la capital de su estado.

Con tanta toma de decisiones y toda esta gente ayudándonos a moldear lo que decidimos, entender cómo funciona la persuasión será una ventaja. Proporciona unos cimientos con los que juzgar la validez de los argumentos que se le presentan, si la persona que está defendiendo algo es creíble o de confianza, y si la decisión que tomará será fruto de sus propias habilidades de toma de decisión. Puede ayudarle a detectar una situación que pueda ser un intento de secuestrar su razón y su lógica. Puede ayudarle a proteger su salud mental y emocional e incluso su cuenta corriente.

¿Cómo toma decisiones? ¿Realiza compras espontáneas mientras espera en fila para pagar en el supermercado? ¿Acaba con entradas para una cena de espaguetis o desayuno de tortitas benéfico que en realidad no tiene ninguna intención de atender? Cuando ve un anuncio en televisión de una ONG para prevenir la crueldad animal, ¿hace una donación inmediatamente para ayudar a esos cachorros?

¿Le convenció su jefe de que trabajar un sábado es bueno para su carrera?

Estos tipos de decisiones no van a causar un caos superior en su vida. Probablemente no tenga ninguna repercusión emocional por tomar una decisión en cualquiera de estas situaciones. Puede darle las entradas para la cena a otra persona o simplemente puede verlo como apoyar una buena causa o ser mejor persona. Y esa compra impulsiva no le va a costar su dignidad, su identidad o su posición en la comunidad.

¿Negocian sus hijos con usted una extensión de privilegios? ¿Su pareja le camela para que haga algo con ella en vez de pasar el día con sus amigos? ¿Le convencieron sus padres de ir a visitar a sus tíos este año por vacaciones?

Los familiares y las personas que queremos nos influyen. La mayoría del tiempo, las decisiones que quieren que tomemos son, de alguna manera, en su propio beneficio. Aceptar su petición es una extensión de nuestro amor y afecto por ese miembro familiar. Es más fácil aceptar la presión a obedecer a alguien que le importa en vez de a un completo desconocido. Todo es en nombre de la harmonía familiar o, como dice el dicho, "pareja feliz, vida feliz". Y una vida familiar feliz no es algo malo.

Los psicólogos estudian y analizan cómo funciona la persuasión y qué pasa en la mente cuando a una persona se le pide procesar información. Muchas teorías tratan la persuasión e incluso más más formas en las que un vendedor, recaudador de fondos, trabajador de campañas políticas o escritor editorial busca realizar su oficio. La raíz de todo es el conocimiento básico de la naturaleza humana.

Las personas son criaturas de costumbres igual que su evolución. Los humanos tienen necesidades básicas que deben ser satisfechas, como comida, agua y un refugio para sobrevivir. Después están las necesidades que hacen la vida mejor y aseguran la supervivencia aún más. Las decisiones relacionadas con este tipo de necesidades son menos problemáticas que otras que lidian más con el bienestar emocional o carencias psicológicas.

No hace falta tener una carrera en psicología para ser eficaz persuadiendo. Una comprensión básica de la naturaleza humana es todo lo que se necesita para que alguien sea un vendedor excelente, un recaudador de fondos con éxito o un encargado de selección en demanda. Estas personas influyentes con éxito usan sus poderes de observación para aprender a cómo trabajar para las masas. Han aprendido a reconocer las señales que alguien puede lanzar inconscientemente que les identifica como potenciales objetivos para un discurso de ventas o una petición de donación. Han aprendido técnicas de cómo vender su producto, cómo crear una buena relación con un cliente potencial, y cómo convencer a su cliente de que seguir con el trato es exactamente lo que necesita hacer para mejorar su vida.

La persuasión también depende de la comunicación. La forma en la que se estructura un mensaje, el modo de expresarse y la elección de palabras, son importantes a la hora de recibir el mensaje. Entender a quién está dirigido el mensaje y la dinámica del público de ese grupo puede afectar al éxito de la campaña de persuasión. Sabiendo esto, los departamentos de ventas normalmente tienen una variedad de herramientas que usar para asegurarse de que sus discursos son oídos, entendidos y que se pasa a la acción. Estas herramientas pueden incluir usar guiones de ventas predeterminados, juegos de rol durante reuniones de prueba y simplemente aprendiendo sobre la marcha.

La persuasión también implica la habilidad de manipular emociones para conseguir la decisión que la persona influyente quiere que la persona tome. Las emociones son el comodín en la conducta humana. Mientras que podemos intentar controlar cómo se manifiestan las emociones, mucho de cómo nos sentimos ocurre bajo la superficie. Reaccionar con emoción es directamente opuesto a reaccionar por la razón. Las decisiones que tomamos cuando estamos contentos son probablemente diferentes a aquellas que tomamos cuando estamos tristes. La gente no puede obligarse a estar contenta o satisfecha. A veces, no hay explicación de la forma en la que nos sentimos o qué provoca que nos emocionemos.

Las emociones potencian nuestra vida. Cómo nos sentimos en relación a una persona, un lugar o un punto de vista influye lo que queremos hacer al respecto. Si nos enfada que haya niños pasando hambre, esa emoción puede estimularnos a ser voluntarios en un programa que proporciona comida para niños en edad escolar. Si nos sentimos solos, esta emoción puede llevarnos a involucrarnos más socialmente, haciendo amigos y empezando a salir con alguien. Si algo nos entusiasma, como unas vacaciones en la montaña o la playa, puede influir en los pasos que damos para volver a ese lugar feliz.

Las emociones también pueden mutilar nuestro proceso de toma de decisiones. La asociación negativa con incidentes, personas o experiencias puede afectar cómo nos sentimos y reaccionamos años más tarde. Incluso aunque ya no estemos en la situación que provocó esta asociación negativa, el dolor que causó está grabado en nuestra mente y puede resurgir cuando algo lo dispara.

Aquellos que están buscando influirle a menudo quieren acceder a su estado emocional porque es una fuerza poderosa. Actuar con una mente racional y calmada es ideal cuando está tomando decisiones, pero para aquellos que tienen sus propios planes, la racionalidad puede que no cierre el acuerdo. Si un persuasor puede conseguir que se emocione sobre lo que quieren que usted haga, la probabilidad de conseguir que usted lo haga aumenta.

La gente proporciona pistas sobre lo que realmente sienten. Estas pistas puede que no sean obvias para la persona. La mayoría del tiempo, estas pistas son involuntarias.

Aquellos que buscan usar estas emociones en su propio beneficio son hábiles en observar estas pistas. Las palabras que alguien usa no son una fuente fiable para entender cómo se sienten. Es lo que reside detrás de las palabras habladas el mejor indicador de la emoción que esa persona experimenta.

Los investigadores dicen que las palabras son solo un pequeño porcentaje de la comunicación. En cambio, ver cómo habla la persona, sus expresiones faciales, el lenguaje corporal que exhiben, son útiles para detectar el estado emocional de la persona. Hay variaciones en el tono y timbre confinadas en las palabras usadas en la conversación, que pueden proporcionar una idea de si la persona es amistosa o está enfadada, aburrida o interesada. Dónde hace una pausa una persona al hablar también es una pista. Esta pausa indica la importancia que el interlocutor sitúa en palabras o frases particulares. ¿Esta frase es importante porque es graciosa para el interlocutor, o es la pausa un intento de controlar una emoción desencadenada por la palabra o conversación? ¿Está hablando la persona muy rápido con muy pocas pausas? Eso podría indicar que están nerviosos.

Aparte de las palabras usadas, el patrón, tono y timbre de la forma de hablar, hay otras señales desprendidas cuando la gente interactúa con otra. Cada emoción tiene una expresión facial correspondiente involucrando todas las partes de la cara. No es solo una sonrisa o fruncir el ceño; también es cuando se suben las cejas, se frunce la frente, los ojos se abren mucho, o los párpados se aprietan. También se refleja en cómo se posicionan los labios.

Las otras partes del cuerpo hacen lo mismo. ¿Aprieta los puños? Esa persona está enfadada. ¿Su cuerpo parece débil? Esa persona está triste. ¿La persona retrocedió de repente? Se sorprendieron. ¿Están con los brazos abiertos? Esa persona está contenta. ¿Están moviéndose nerviosamente? Puede que estén asustados. La comunicación no verbal es tan importante como la palabra hablada, y en muchos casos, es más precisa para evaluar el estado emocional de una persona.

Una persona habilidosa leyendo estos movimientos y cambios en el cuerpo puede ejercer una influencia sobre una persona basada en las emociones que esa persona está experimentando. Si están asustados, puede conseguir que sientan menos miedo. Si están tristes, el manipulador es capaz de acceder a pensamientos agradables. Aquellos que buscan que una persona haga lo que ellos quieren hacer buscan una vulnerabilidad. Las emociones nos hacen vulnerables, y el persuasor necesita dar su discurso y conseguir ese compromiso de una persona para poder terminar.

Ser consciente de las técnicas que hacen vulnerable a una persona frente a gente sin escrúpulos protege mejor la salud emocional de la persona y conserva el proceso de toma de decisiones lógico. Nadie quiere que se aprovechen de ellos, y el conocimiento de la persuasión evita que esto pase.

Si persuadir a otros para que tomen la decisión que quiere es su profesión, como abogado, relaciones públicas, ejecutivo de publicidad, social media manager, vendedor... entender cómo funciona la persuasión es valioso para su éxito. En marcos de negocios, habrá multitud de oportunidades para usar la persuasión. Puede que le pidan presentar una propuesta para un nuevo reglamento de seguridad que depende de la aprobación de los jefes del departamento. Puede que usted quiera presentar la propuesta para un aumento de sueldo o cambio en la descripción de su empleo.

Cuando va a una entrevista de trabajo, usted quiere convencer a la persona que le entrevista de que es el candidato correcto. Usar alguno de los métodos para crear una buena relación, leer las reacciones del entrevistador, o fijarse en su comunicación no verbal puede ser lo que necesite para conseguir la oferta de empleo.

Si planea usar la persuasión para mejorar su vida, ya sca hacer nuevos amigos, encontrar una pareja o simplemente competir en igualdad de condiciones, aprender cómo influir a otros es una habilidad beneficiosa. Los persuasores buscan formas de forjar relaciones y confianza con su objetivo. Usted puede usar estas mismas técnicas para hacer lo mismo con aquellos que quiere en su vida.

Al mismo tiempo, dese cuenta de que no todos los intentos de persuasión son inocentes o amistosos. El uso de la psicología oscura para manipular a gente por razones criminales e inmorales es una preocupación en aumento. Los crímenes en Internet y estafas para obtener dinero rápidamente causan problemas a la gente y todo parece indicar que este tipo de actividades aumentarán.

Como con todas las cosas, el conocimiento es poder. Al entender cómo funciona la persuasión, qué factores influyen en el proceso de toma de decisiones, cómo aplicar técnicas a las interacciones que tiene y cómo reconocer cuando la intención de alguien es hacerle víctima de una estafa, usted estará a la cabeza del juego.

Capítulo 2: Por qué su ego puede estar impidiéndole persuadir a gente

El boxeador legendario Muhammad Ali una vez dijo "es difícil ser humilde cuando se es tan grande como yo".

Poca gente puede decir eso y quedar bien, pero Muhammad Ali se sale de lo común. Para alguien como Ali que podía predicar con el ejemplo, la confianza en sí mismo se convirtió en parte de su carisma. Los atletas profesionales tienen que irradiar seguridad en sí mismos, los líderes mundiales tienen que irradiar confianza y los líderes de negocios tienen que ser capaces de inspirar a otros motivando una actitud de "ir a por todas". Todo esto requiere un ego saludable.

Todo el mundo conoce a alguien con el ego inflado, alguien que piensa que el mundo se detiene por su deseo. Alguna gente está segura de sí misma y se presenta como culta. Luego están los arrogantes, chulos y quienes parecen falsos. ¿Cuál es usted?

El ego es una palabra que puede evocar impresiones tanto positivas como negativas. Puede ser una autoestima sana o puede manifestarse como presuntuoso. Puede dar la impresión de ser alguien decidido o alguien prepotente.

La definición de ego está en línea con estas perspectivas opuestas. La palabra ego empezó a usarse alrededor de 1790. Su raíz es *yo* en latín, y la definición principal es que el ego es el ser mismo de una persona; la forma de distinguirse de otros a través de emociones y expresiones. Más aún, en la definición, los dobles sentidos asociados con la palabra se muestran, por ejemplo, arrogancia o prepotencia, autoestima e imagen propia.

El doctor Sigmund Freud identificó el ego como una de las tres partes de la personalidad. El *Id*, dijo Freud, está relacionado con lo que la persona quiere, casi de forma infantil en sus exigencias, y se origina al nacer. En el lado opuesto está el *Superego*. Según Freud, esta fase de la personalidad contiene los códigos sociales aprendidos a lo largo de la vida y encaja más con la realidad que el *Id*. En medio de estos dos extremos está el *Ego*.

Se imaginó el ego como el mecanismo de control de las exigencias del id. El ego, decía, era una representación de "la razón y el sentido común", mientras que el id era la parte de la personalidad que contiene las emociones.

El ego es un puente entre el egocentrismo del id y la consciencia social del superego. A veces, el id es demasiado poderoso, y el ego no puede frenar su avance. A veces, ser altruista sobrepasa el ego, y se ignoran las necesidades del individuo. Un ego fuerte, en el sentido psicoanalítico, mantiene a la persona equilibrada.

Los niños aprenden que fanfarronear o presumir sobre las habilidades de uno es socialmente inaceptable. Las burlas infantiles sobre ser más listo, guapo, fuerte o rico, etc., constituyen la base del abuso escolar, y a nadie le gusta un abusador.

Años más tarde, después de graduarse del instituto o universidad, a estos mismos niños se les dice que *tienen que venderse* a potenciales empresas. Se les anima a hablar de lo listos que son, con más experiencia y mejor preparados que cualquier otro candidato y, en general, son la mejor elección para ese puesto.

¿Cómo maneja un ego que ha sido reprimido durante años y de pronto es llamado a irradiar confianza y destreza? Si un niño ha ido apreciando silenciosamente sus logros, su ego tendrá unos cimientos sólidos. Si han restado importancia a sus premios y reconocimientos, puede que su ego necesite un poco de apoyo.

Ya sea conseguir el empleo perfecto, llegar a los objetivos de ventas o dar un paso adelante como líder, ser capaz de articular las fortalezas e inspirar confianza es la piedra angular de la persuasión. Tener un ego no es necesariamente negativo; puede ser un elemento positivo a la capacidad de una persona para conseguir sus objetivos. La diferencia entre un ego presuntuoso (negativo) y un ego con autoestima, es la habilidad de convencer a otros que es culto y una fuente fiable, que sabe de lo que está hablando y que se puede confiar en usted.

Una clave para ser capaz de persuadir a otros es que el portavoz para un producto, servicio, u ONG sea visto como alguien que tiene experiencia. La confianza es una percepción que crean aquellos que reciben la comunicación persuasiva basada en si creen que la fuente dice la verdad sobre sus declaraciones o no. La simpatía y la habilidad de hacer que aquellos que reciben el mensaje del portavoz se sientan seguros son otras consideraciones que la gente usa para evaluar el mensaje al igual que la fuente.

A pesar de las connotaciones negativas del ego, la confianza en sí mismo, creer en la habilidad propia y generar confianza con otros son atributos positivos que vienen de un ego fuerte o una confianza en sus habilidades. Gestionado de forma correcta, un ego puede beneficiar a la persuasión, erigiéndole como una fuente creíble y alguien que puede ser escuchado con un grado de certeza. Le lleva de un punto de vistaególatra a uno en el que equilibra sus necesidades personales con aquellas que alcanzan los objetivos del grupo.

Un agente de ventas cuyo sueldo depende del número de ventas que consigue es motivado por su impulso personal de ganar dinero. Esto es un reflejo de egocentrismo. Su imagen está limitada a conseguir sus metas personales.

Si este agente de ventas es uno de los mejores, tendrá un impacto en la empresa. La compañía depende de su rendimiento para producir ingresos y alcanzar los objetivos de ventas generales. La pericia demostrada por los mejores vendedores a la hora de hacer y cerrar tratos se vuelve una ventaja.

La necesidad de desarrollar vendedores con habilidades y confianza es un ejemplo de necesidades grupales. Aparte de contribuciones individuales, la empresa está buscando una forma de generar más negocio, asegurando que el negocio continuará creciendo y prosperando. La dirección busca una solución para crear los mejores vendedores de todos sus empleados.

Una persona que está en control de su ego puede ver esto como una oportunidad para avanzar su carrera echando una mano. A lo mejor se ofrecen a orientar a vendedores con menos experiencia. A lo mejor se ofrecen voluntarios para compartir algunos consejos o técnicas que usan en reuniones. Su lema probablemente sea "no hay yo en equipo". Esta es una forma positiva de permitir manifestarse a su ego, como un superpoder, en una dinámica de grupo.

Una persona que no gestiona su ego aparece como arrogante, hace sentir a otros menos valorados, menosprecia los sentimientos de otros, y se bloquea al oír las sugerencias, problemas y preguntas que los otros puedan tener. Esta persona se concentrará en su objetivo en vez de en el de la empresa. Su cita favorita podría ser algo como "cada uno a lo suyo".

La confianza en sí mismo reforzada por la confianza que otros tienen en usted le permite salir de las sombras y convertirse en el líder. Un ego bien gestionado puede juzgar la diferencia entre una necesidad egocéntrica y un resultado positivo para un grupo y puede proporcionar la motivación para usar lo que sabe y conseguir una diferencia positiva.

Creer en nuestras habilidades no es algo que ha sido perfeccionado cuando nos unimos a la fuerza laboral, en cambio, se desarrolla desde el momento en que nacemos y empezamos a desarrollarnos. Toda tarea que llevamos a cabo alimenta esta creencia y lleva a construir la confianza en sí mismo, también conocida como ego. Nos da la confianza de tomar decisiones, cambiar de parecer, buscar nuevos conocimientos y habilidades, conocer a gente nueva e ir de aventuras.

Gestionar su ego trata menos sobre usted y más sobre otros. Ser respetuoso, mostrar flexibilidad, y una voluntad de llegar a consensos no es hacerse de menos, sino mejorar la percepción que otros tienen de usted.

Un poco de humildad, al ser elogiado, por ejemplo, permite a otros tomar el control. Alabar a alguien es un momento poderoso. Motiva, anima e inspira. Al permitir a alguien hacer esto y ser amable por el cumplido, es un regalo para esa persona. Les deja estar en control y asegurar su posición como merecedor de ese cumplido.

Una segunda regla para gestionar su ego es solo medir su rendimiento según sus resultados. La competición es parte de nuestro estilo de vida. Usted compite por trabajos, entrar en la universidad, incluso para encontrar su pareja. El mundo competitivo es implacable y compararse con los resultados de otros es una navaja de doble filo. Cuando intenta competir en todos estos niveles y compara sus logros con los de los demás, es abrumador y puede ser dañino para su autoestima.

Los deportes profesionales son grandes negocios que ofrecen evidencias de la importancia que juega. Mientras que esforzarse para ser mejor como atleta individual debería ser un objetivo personal, esforzarse por ser mejor que todo el mundo es un camino a la perdición. Siempre va a haber alguien más que va a ser mejor que usted. Al final se van a romper los records.

Recientemente, el quarterback de los New Orleans Saints, Drew Brees, superó el record de pases completados previamente establecido por Peyton Manning. El mensaje de Brees a sus hijos fue sobre el valor del trabajo duro para alcanzar sus metas. Manning intervino con un mensaje de enhorabuena a Bress en el que Manning bromeaba sobre cómo los 1000 días ostentando el record habían sido geniales hasta que Brees vino y se lo quitó.

Estos dos atletas profesionales sin duda tienen los egos necesarios para competir en deportes profesionales. Brees fue humilde en sus logros y Manning fue cortés al perder el podio.

Una importante lección de la historia Brees-Manning es que controlar su ego puede ayudar a generar admiración y ganar respeto. Al intentar convencer a alguien de hacer algo, el respeto es muy útil. Hace que la gente confíe en usted y valore su opinión. La gente escuchará lo que dice, sopesará el mensaje y decidirá si confían en usted o no. Si le respetan, la confianza no anda lejos.

Establecer objetivos personales es una estrategia eficaz para estimular su autoestima. Un ego fuerte y positivo necesita ser acondicionado. No es suficiente depender de logros pasados. Alcanzar y superar las metas que se establecen es como gimnasia para el ego. Enfrentarse a desafíos, perseverar y superar obstáculos es como usted triunfa, y con el éxito viene la confianza renovada y un ego que le ayuda a conseguir resultados.

Gestionar eficazmente su ego significa que necesitará buscar evaluaciones de gente en la que confía que le digan la verdad. A menudo los amigos y familiares son los primeros en celebrar sus logros, pero también son los primeros en decirle cuándo se le está subiendo a la cabeza. Pueden levantarle cuando su ego sufre un golpe, y pueden bajarle los humos cuando se viene demasiado arriba.

La forma en la que hace que otros se sientan sobre sí mismos también es una indicación de un ego bien utilizado. Al intentar convencer a alguien a actuar, como comprar un producto o servicio, es importante ser amable, saludarles por su nombre y tomarse el tiempo de averiguar cuáles son sus necesidades. El respeto es recíproco. Usted recibe lo que da. Y dar un poco puede llevarle muy lejos.

Siempre haga sentir a la otra persona que está en control de su decisión. Perder el control es una emoción fuerte. Por ejemplo, es la razón por la que muchos ancianos dudan sobre perder su permiso de conducir o posponer buscar asistencia en su hogar. Sentir que ya no se tiene control sobre sus decisiones es incómodo y desencadenará el mecanismo de lucha o huida. Persuasión es convencer a la otra persona para tomar la decisión que usted quiere. Sugerir que tienen el control en esa decisión, o incluso que es su idea, es más eficaz que hacerles sentir que les están forzando a ello.

El remordimiento del comprador es un ejemplo perfecto de control que ha salido mal. En esta situación, un consumidor completa una compra importante, como un coche nuevo, y después tiene dudas de si tomaron la decisión correcta. Algunos compradores de casas pueden incluso sacrificar su señal para salirse del acuerdo cuando el remordimiento del comprador se establece.

Al hacer una compra cara, los consumidores tienen mucho miedo. ¿Pueden permitírselo? ¿Es la marca y modelo adecuado? ¿Me está diciendo la verdad este vendedor? Las preguntas son la forma de la mente de proporcionar verificaciones y contrapuntos. Aplauda las preguntas. Mitigue los miedos y otorgue al potencial cliente tiempo para confiar.

Cuando cometa un error, y usted lo hará porque usted es humano, acéptelo, discúlpese e intente hacer lo posible por remediar la situación. Un ego bien gestionado aceptará la responsabilidad y aprenderá de la experiencia. Entender cómo se cometió el error y cómo arreglarlo es parte del proceso de crecimiento.

A medida que aprenda más destrezas de navegación para viajar por su carrera y vida personal, usted gana más confianza y más seguridad en sí mismo. Mientras que un error puede ser un rápido golpe a su ego, es lo que hace después de que pase lo que solidifica su autoestima.

Al acercarse a un compañero de trabajo, cliente o cliente potencial, o incluso a un amigo con una idea, producto o servicio, una persona con un ego bien gestionado primero se involucrará en un diálogo. Al escuchar las opiniones de la otra persona, usted puede abordar sus inquietudes de forma relajada y seria, o puede permitirles llegar a la conclusión que usted quiere. Al guiarles a la decisión de realizar la compra o implementar cambios, o incluso ir a una cita, siguen teniendo un sentido de propiedad de la decisión. En vez de decirles qué hacer, usted plantó la semilla y les alimentó a través del proceso de toma de decisiones.

Es importante recordar que cuando está intentando persuadir a alguien para hacer algo o actuar de una manera específica, no trata sobre usted. El foco debería estar en la persona que necesita ser persuadida. Al infundir un sentido de importancia en esa persona, usted inclina la balanza en su favor. Algunas formas sencillas de hacer esto son asegurarse que sabe su nombre, hacer preguntas sobre ellos y su familia, sobre lo que hacen y formular otras preguntas que dan la impresión de que está interesado en ellos como personas. Esto significa alejar su sentido de importancia para concentrarse, en cambio, en crear una conexión personal.

Evite discutir. Puede que usted tenga razón. Puede que usted entienda la situación mejor que la otra persona. No permita que su ego sea una influencia negativa en la situación. Mantenga su ego bajo control conversando de forma educada, mostrando respeto y demostrando que está escuchando. Una técnica es repetir lo que la persona ha dicho. Por ejemplo, reconozca sus reparos, valídelos, y después responda con una contraoferta razonable. Una conversación educada evita que se pierdan los nervios y la confianza del otro en usted.

La mejor manera de gestionar un ego es mantenerlo bajo control y maximizar sus habilidades para influir a otros coordinando su caja de herramientas con consejos y recursos para ayudarle con esta tarea. Cada persona y cada ego es diferente, le motivan diferentes necesidades y se alimenta de diferentes experiencias.

Aprenda de las transgresiones de su ego y celebre sus transformaciones. Cuando esté en una situación y su ego tome el control, no sea duro con usted y analice lo que pasó. Si usted identifica lo que provocó la respuesta, usted puede tomar medidas para evitar esa reacción la próxima vez que se apriete ese botón.

Si está resuelto a implementar un plan personalizado de gestión del ego, como cualquier experiencia de aprendizaje, establezca objetivos realistas. No compare lo que hace con nadie más. Use su nivel para guiarle. Según vaya alcanzando metas, fije otras nuevas.

Edite la historia (de éxitos) de su vida. Eche un vistazo a lo que usted dice de su vida. ¿Se atasca en un fracaso devastador para usted? ¿Incluye usted los logros que consiguió después de ese fracaso? Lo que destaca de su propia historia de vida le da una perspectiva equilibrada que un ego inflado no le puede dar. Dígale al mundo quién es usted, qué quiere lograr y su camino para llegar hasta ahí. La confianza y el conocimiento de quién es usted pueden demostrar sus habilidades para liderar e influir a otros a seguirle.

Transforme la ira y frustración en algo positivo. Cuando su ego se concentra en obstáculos, ataca sus habilidades o una voz interior grita sus inseguridades, encuentre un escape. Si es creativo o artístico, trabaje en un proyecto. Convierta la frustración en energía para entrenarse para un maratón. Tome la autocrítica e intercámbiela por algo divertido que lleve a su espíritu a un lugar feliz.

Encuentre formas de eludir la envidia, la ira, la venganza y otras emociones negativas. A algunos les ayudan las citas inspiradoras. Una piedra, moneda u otro objeto que frotar o con el que jugar cuando aumenta la tensión puede ser otra opción. Ejercicios de respiración o tomarse unos minutos para andar fuera o subir un piso de escaleras pueden redireccionar la energía negativa. Encuentre racionalizaciones que le funcionen y repítalas como un mantra de meditación. Descubra las mejores opciones y practique estos consejos hasta que sean automáticos cuando los necesite.

Transforme emociones negativas en positivas encontrando una forma de marcar la diferencia. La buena voluntad generada al ser voluntario o ayudar a otros es un ejercicio de estimulación del ego. También es una forma de demostrar los aspectos positivos de su personalidad, como la generosidad, solidaridad y compasión.

Capítulo 3: Qué no decir nunca, a no ser que quiera desalentar la cooperación

Imagínese paseando por el centro comercial. Se acerca a un grupo de quioscos, la mayoría repletos de vendedores entusiasmados preparados para venderle algo sin lo que, según dicen, usted no puede vivir. Todos tienen sus técnicas, desde hacerle cumplidos sobre su ropa hasta intentar establecer contacto visual. Lo que nunca les oirá decir es ordenarle que vayan hasta ellos.

Ladrar una orden a alguien puede que funcione en el ejército, pero a no ser que tenga la autoridad para hacerlo por comisión militar, es probable que esto le consiga una mirada enfadada o una confrontación incluso más iracunda en el mundo real. Para la mayoría de la gente es irrespetuoso. Y a otros les irritará muchísimo una orden no se acepta cortésmente ni se cumple voluntariamente. La gente se resiste y a menudo se enfada, lo que puede llevar a un altercado o situación peligrosa.

En el libro *Verbal Judo*, del Dr. George Thompson, ordenar a alguien que se acerque a usted es un ejemplo de palabras que no deben usarse en varias situaciones. Thompson, un policía, desarrolló su libro para usar como herramienta de entrenamiento para cuerpos de seguridad. Hay formas mejores de conseguir que la gente obedezca y formas eficaces de calmar una situación tensa. Mientras que los escenarios en los que usar estas técnicas pueden diferir de la intensidad en la que se encuentran los cuerpos de seguridad, la información básica puede adaptarse rápidamente a todo tipo de situaciones.

En la raíz de todos los intercambios, ya sea en persona, por teléfono, email o redes sociales, hay respeto. Cuando una persona no se siente respetada, la cooperación desaparece. Saber cómo decir algo o cómo reaccionar de forma respetuosa es una herramienta importante para controlar situaciones. A veces eso significa tener que controlar su ego y esperar la oportunidad de decir o hacer lo correcto.

En vez de una orden que pueda conllevar culpa o imponer una acusación contra alguien, por ejemplo, Thompson sugiere replantear la petición para que sea educada y tranquilizadora. Pedir hablar con alguien en vez de ordenar que den un paso al frente, es probable que fomente menos una actitud de confrontación por parte de la persona. Hacer una pregunta y obtener permiso denota que la persona está siendo respetada.

El modo en que le dice algo a alguien es importante, y las palabras que usted usa y la forma en la que lo dice también pueden tener un impacto en su reacción. Las emociones pueden nublar la forma en la que se recibe un mensaje. Una persona puede percibir que alguien está enfadado por el tono de su voz o el timbre en el que hablan. Alguien que está nervioso puede que hable en voz baja o hable muy rápido. Una persona que está triste hablará con tono más grave y con poca entonación o variación en su timbre.

En situaciones cargadas de tensión, a la gente no le gusta que le digan lo que tiene que hacer. Por ejemplo, si un cliente llama para quejarse y está muy airado, que le digan que se tranquilice o se lo tome con calma tendrá el efecto opuesto. Decirle al cliente que se calme manda una señal que está ignorando su razón por la que estar disgustado. Decirle a alguien que se calme desecha sus sentimientos como poco importantes o una pérdida de tiempo. Además, cuando alguien está emocionalmente disgustado, o cualquier otra emoción negativa, decirles que se tranquilicen nunca funciona.

En cambio, esta es una oportunidad para ganar su confianza mostrando señales de que usted lo entiende. Asentir, tomar notas o mirarles a los ojos mientras le gritan muestra que está interesado en lo que tiene que decir. Si es una llamada por teléfono, pregúnteles cuál es el problema y cómo puede ayudar. Deje que se desahoguen. Cuando paren para tomar aliento, asegúreles que ha oído su queja y que está dispuesto a discutirlo con ellos.

Una técnica es repetirles el problema que han expresado. Después pida que se lo confirmen. La gente que está disgustada quiere que le escuchen. A menudo todo lo que se necesita es dejar a la gente hablar y después ofrecer una solución al problema. Pero recuerde no hacer una promesa que no pueda cumplir o sugerir una solución que esté fuera de su alcance.

Evite amenazas inútiles. No sugiera que va a haber repercusiones por sus acciones a no ser que esté dispuesto a actuar. Cuando intente persuadir a alguien para que actúe de cierta manera, las amenazas son ineficaces, a no ser que la persona tenga tres años. También está visto como un acto de agresión, lo que causa que la persona responda de la misma manera.

En cambio, dígales por qué es importante hacer lo que usted quiere que hagan. Presente una razón lógica y hable con calma. Repita varias veces de diferentes formas lo que usted necesita que entiendan. Pregúnteles si lo entienden y si tienen alguna pregunta.

En otro escenario, puede estar tentado de decirle a alguien que sea razonable o lógico. Esas frases no son la mejor forma de conseguir que alguien coopere. Les dice que usted no cree que sean razonables, lógicos o que piensan con claridad sobre la situación.

Pacientes que han sido diagnosticados con Alzheimer o demencia a menudo pierden la capacidad de usar sus habilidades de raciocinio para determinar si algo que piensan que está pasando podría no estar pasando. A lo mejor escuchan voces o tienen pensamientos paranoicos que alguien va a hacerles daño. No hace ningún bien el decirles que sean razonables, ya que, en sus mentes, están aplicando la razón a lo que creen que está pasando.

Mientras que eso es un escenario extremo, la gente que está disgustada, herida, enfadada, sufriendo o simplemente confundida ya está agitada de por sí. Su convicción de que llevan la razón puede interferir con su capacidad para encontrar una solución de forma tranquila o ver los beneficios de lo que usted sugiere.

Escúchelos y después, con sus propias palabras, describa lo que le dijeron sobre su problema o punto de vista. Esta simple acción garantiza a la persona que la está escuchando, haciendo balance de lo que dice y considerando su posición. Al parafrasear lo que dijeron en sus propias palabras, usted consigue eliminar la emoción del argumento. Pueden procesar el contenido de lo que dijo sin las palabras provocadoras que pueden haber formado parte de sus comentarios.

Esta táctica es eficaz porque también le da a cada persona tiempo para calmarse y para que las emociones se estabilicen, sin tener que decirle a la persona que se calme. Alivia tensiones y garantiza a la persona que por lo menos le entiende.

Una vez las emociones se han reducido, se puede desarrollar una conversación sobre las acciones o soluciones posibles. Pasar de arrebatos emocionales e irracionales a una conversación real es todo un logro. Usted tiene su atención y puede seguir persuadiéndoles hacia la decisión que quiere que tomen.

¿Cómo de eficaz es decirle a un adolescente, "porque lo digo yo"? ¿Cómo respondería un cliente si tirara delante de sus narices un cupón porque había caducado y simplemente dijese "lo dice en la letra pequeña"? ¿Alguna vez se ha quejado por tasas inesperadas en su tarjeta de crédito y le han dicho que estaba explicado en la letra pequeña?

Estas situaciones diarias ilustran otra frase que nunca debería usarse cuando se aplican técnicas de persuasión. Decir algo como *son las reglas, la ley, así es como funcionan las cosas…* es molesto y no le hace parecer informado al respecto. Este es el momento cuando la razón vale la pena, simplemente ofreciendo una explicación de por qué no se permite algo.

Su hijo corre y se lanza al agua en una piscina pública. El socorrista le llama la atención por correr y señala a una señal que especifica que aquellos que usen la piscina no pueden correr en sus alrededores. Piense en cómo reaccionaría su hijo. En su cabeza, él solo estaba pasándoselo bien, ¿qué más da? A quién le importa una estúpida regla igualmente. Lo más probable es que vuelva a tirarse a la piscina corriendo otro día cuando el socorrista no esté mirando.

El socorrista está haciendo su trabajo. Es responsable de asegurarse de que los miembros pueden disfrutar de la piscina de forma segura, y parte de esto es hacer cumplir las reglas.

En vez de simplemente recordarle a su hijo las reglas, ¿qué pasaría si el socorrista le explicase que correr por la piscina es peligroso y puede que su hijo se caiga y se haga daño o posiblemente hiera a otra persona? ¿Y si le explica que, si alguien resulta herido, cerrarían la piscina? ¿Y si le dijera a su hijo que puede que los niños pequeños intenten imitar su comportamiento, pero estos no saben nadar tan bien como su hijo? Una explicación es muy útil para cambiar el comportamiento de una forma positiva.

Otra situación hipotética. Su empresa instala equipamiento de seguridad en casas y negocios, y parte del proceso de instalación requiere que todos los adultos del hogar estén presentes para aprender a utilizar el sistema. Es parte de la política de la empresa y está estipulado en el contrato de venta. Un cliente lo rechaza, diciendo que es inconveniente para su pareja estar presente en el momento de la instalación. Quiere que la empresa le exima de ese requerimiento.

Decir simplemente "lo siento, esa es la política de la empresa", no le ayudará a nadie. En cambio, puede explicarle que los adultos tienen que estar presentes para reducir las falsas alarmas, que pueden resultar en costosas multas o enviar a la policía y bomberos a su casa sin ninguna razón. Podría añadir que esta política asegura que los adultos pueden hacer en ese momento todas las preguntas que tengan sobre las operaciones con el sistema de alarma y se le explican en el momento, de manera que no habrá ninguna confusión a la hora de conectar el sistema.

La segunda respuesta que ofrece una explicación razonable y que contesta a los porqués es una respuesta mejor, porque es menos autoritaria y más razonada. Es respetuoso con la petición del cliente, y le ofrece un contexto. También le da a la persona más información que compartir con otros, elevando su conocimiento.

La gente puede ser exigente. Lidiar con quejas de clientes puede ser frustrante. A veces la gente se molesta por las cosas más tontas. No esté tentado de culparles. Preguntar "¿cuál es el problema?" de forma arrogante es beligerante. No tiene otro propósito que poner a esa persona a la defensiva. No les va a convencer para que hagan lo que usted quiere, sino justo lo opuesto.

Esta ofensa provocará la reacción porque sugiere que de alguna forma son deficientes. Sugiere que son inútiles o menos inteligentes o defectuosos de alguna manera. Eso es doloroso para ellos e ineficaz para usted. Usted quiere que la persona que está intentando persuadir esté abierta y receptiva. Si perciben un ataque verbal, se retirarán. El orgullo herido cierra muchas puertas.

En cambio, use comentarios o preguntas que pueden abrir a alguien. Está bien decir "¿qué pasa?" o "¿hay algo que pueda hacer por usted?" o "¿quiere discutir algunas soluciones?" Cualquiera de estas preguntas invita a la persona a abrirse y hablar sobre lo que les está molestando o si tienen algún problema con lo que le está pidiendo.

A veces, cuando un cliente hace exigencias imposibles o culpa erróneamente a la empresa de un problema, le sigue una respuesta reaccionaria, basada en la exasperación al preguntar qué espera que haga usted al respecto. Normalmente dicha con tono sarcástico, esta es una de esas frases con resultados negativos.

Similar al "ese no es mi problema", estas declaraciones son por lo menos perezosas y, en el mejor de los casos, irresponsables. Debilita su posición porque señala que puede que usted no sea tan culto como se presentó y que usted es poco profesional. Si su intención es convencer a alguien para que siga su consejo, esta respuesta les da la razón de dudar de su credibilidad y su efectividad.

Una alternativa a esta falta de responsabilidad es ofrecerse a ayudar a encontrar una solución o por lo menos considerar opciones. Dirigir al cliente hacia el departamento correcto, a lo mejor incluso llevarlos hasta ese lugar del edificio o asegurarse de que tienen la información del contacto directo significa que se está tomando en serio sus quejas y que pueden confiar en usted para ayudarles.

También hay veces cuando realmente usted no puede ayudar. A lo mejor el problema reside en otra empresa o es algo fuera de su especialidad. Usted mantiene su credibilidad simpatizando con la persona. Disculparse por la situación, aunque no pueda ayudar, crea una conexión y puede que esa conexión sea lo que necesite para una futura persuasión.

Al aprender las técnicas sobre las que Thomspon escribe, a los oficiales se les dice que respondan en vez de reaccionar. Esto es un buen consejo sin importar la profesión. Una reacción no es siempre constructiva. Puede aumentar las emociones y hacer que la gente se enfade o se vuelva conflictiva. Cuando se elabora una respuesta a una situación, las emociones y la adrenalina desaparecen por completo. La racionalidad prevalece, y la gente responde de forma positiva. Una reacción se puede interpretar como un acto físico que resulta en una reacción correspondiente. Una respuesta hace a la gente pensar en vez de actuar.

También hay frases más comunes usadas en conversaciones a diario que pueden reducir el entusiasmo de una persona a trabajar con usted. La frase en sí no es ofensiva ni insultante. Es la percepción de la persona de lo que significa la frase lo que causa el conflicto. Estas palabras afectan a la autoestima y limitan la cooperación.

Debido a la frustración, ¿ha dicho alguna vez, "no me importa"? Puede que sea verdad en ese momento. A lo mejor está en medio de un proyecto que requiere concentración y sus hijos acuden a usted por una discusión sobre a quién le toca jugar al último juego de Mario. ¿Está justificada su respuesta?

Aunque pueda pensarlo, la frase le dice a la persona a la que está dirigida que no son importantes, y que tiene cosas más importantes que hacer con su tiempo que escuchar lo que tienen que decir. Es probable que su familia le perdone, pero si le dice esto a un compañero de trabajo, podría causar fricción en el ambiente de trabajo.

Otra frase a evitar es decirle a alguien que no tiene razón. Puede que no, pero hay formas más diplomáticas de decirlo. Cuando se expone de forma tan abrupta, la persona lo interpreta de forma diferente. Escuchan que son estúpidos, que no saben lo que están haciendo o diciendo y que no tienen ningún valor. Replanteándolo de forma menos directa o haciendo preguntas sobre su conclusión puede suavizar el comentario y ser más constructivo con el resultado.

Decirle a alguien que no puede hacer algo es un golpe directo a su autoestima. Le aboca al fracaso. La gente necesita que le animen. Está bien decirle a alguien que va a haber obstáculos en lo que van a hacer. Y por el bien de ser completamente transparente, está haciendo lo correcto. Cuando está intentando influir a gente para que actúen, animar siempre es mejor que palabras y acciones desalentadoras.

Cuando quiere asegurarse de que alguien sabe que tenía razón sobre el resultado de una decisión y quiere hacer leña del árbol caído, puede que normalmente diga "se lo dije". Esto se interpreta como que lo que pasó fue completamente su culpa, y usted es muy superior a ellos. Nadie quiere recibir ese tipo de golpe a su autoestima.

El lenguaje es la forma en la que una persona se comunica con otras. Unir las palabras correctas puede crear una relación positiva y fomentar la cooperación. Las palabras acertadas pueden inspirar confianza y las equivocadas pueden ahuyentar a una persona.

Cuando se usa para mejorar sus habilidades de persuasión, la comunicación es un elemento vital. Usted tendrá que evocar un deseo de actuar sobre lo que usted está ofreciendo. Quiere despertar su curiosidad para que quieran saber más. Quiere que estén de acuerdo con su punto de vista. No quiere darle a esa persona una razón por la que detener o rechazar la comunicación.

Identificar la acción deseada que quiere que alguien haga es el primer paso. Determine qué emoción generará la respuesta necesaria para que la persona avance hacia esa acción. Después encuentre las palabras que animarán a la persona a llevarla a cabo. Use palabas que inspiren curiosidad, urgencia, ira, satisfacción, seguridad, felicidad, bienestar o cualquier otra emoción que satisfaga las necesidades de esa persona.

Responder cuidadosamente a situaciones con palabras profesionalmente formuladas pueden eliminar tensiones y suavizar emociones hasta un lugar seguro y gestionable. Mantiene a todo el mundo a salvo de acciones peligrosas debido a emociones crecientes y añade profesionalidad a la mezcla. Un intercambio hábil y considerado con alguien que está disgustado o enfadado es menos probable que siga causando problemas. Es mejor resolver el asunto rápidamente que dejar que la queja ascienda por la cadena de mando empresarial.

Capítulo 4: Formas amables pero muy eficaces para conseguir que la gente haga voluntariamente lo que usted quiera

La hospitalidad sureña es un concepto generalmente aceptado como verdad en cualquier lugar al sur de la Línea Mason-Dixon. La gente en estos estados normalmente siempre son cordiales, educados, y rápidamente dan la bienvenida a extraños a su ciudad. Este encanto se traduce formando una relación que es respetuosa, apropiada y mutuamente beneficiosa.

Hay mucho que aprender del sur. El encanto siempre ha sido una forma influyente de engatusar y convencer a alguien para que haga lo que usted pide. Hacer que alguien se sienta importante para usted o bienvenido a su casa o negocio genera una primera impresión positiva. Con un buen primer paso en camino, la relación tiene unos cimientos sobre los que construir.

Uno de los principales tratados sobre las artes sociales fue escrito por Dale Carnegie en los años 30. Hasta hoy, su libro, *Cómo ganar amigos e influir sobre las personas*, es un modelo para el éxito. Su duradero rol en el entrenamiento sobre liderazgo sugiere que la gente no ha cambiado tanto respecto a cómo se comunican. Sus necesidades y motivación siguen igual, incluso aunque la forma de acceder a estas haya evolucionado con la tecnología.

Una lección que aprender del libro de Carnegie es evitar las tres C: criticar, condenar y quejarse (*criticism, condemnation y complaining*). Perdonar a alguien por sus errores, pasar por alto sus fracasos o verbalizar irritación por no ser capaz de terminar lo que se empieza puede que sea lo que usted quiere hacer, pero es mucho mejor ser amable.

A nadie le gusta que le digan que hicieron algo mal. Aunque pueda alimentar su ego señalar los puntos débiles de otras personas, es mucho más noble ofrecer su ayuda o usar su propia experiencia para ofrecer una solución. Perdone y después olvide.

Cuando está intentando convencer a alguien para que tome una decisión o realice una acción que usted ha sugerido, es más probable que esa persona esté más dispuesta si le ve como un aliado en vez de un crítico. Si la persona no cree que le aprecia a este o sus esfuerzos, no estarán dispuestos a seguir sus sugerencias. No puede persuadir a alguien que no confía en sus motivos. La crítica es hiriente. ¿Por qué querría alguien someterse voluntariamente a la misma herida?

Cuando una persona hace algo de forma correcta, sobrepasa las expectativas o cumple con una fecha límite, asegúrese de alabar sus logros. Si alguien trabajó con diligencia, agradézcale su esfuerzo. Parece simple, pero ser agradecido es benevolente y eficaz a la hora de crear confianza.

Es fácil apreciar el buen trabajo, los logros y gestos amables. Es una oportunidad de conectar a otro nivel y construir una relación basada en la aceptación. Si la persona cree que otra persona es alentadora y aprueba lo que hace o cómo actúa, es más fácil confiar. Al confiar, una persona está más susceptible a la persuasión.

Asegúrese de que averigua qué motivará a una persona a hacer lo que usted pide. Prepárese para responder al "¿y qué saco yo?". Mire a la petición desde la perspectiva de esa persona para entender lo que podría motivar a la persona a actuar como usted querría. Cree un escenario que es un triunfo para la persona igual que para usted.

No subestime el valor de esa primera impresión. Una sonrisa, un saludo amigable, y un apretón de manos firme, todos mandan un mensaje a la persona que está conociendo. Sea respetuoso, amable y establezca una conexión que pueda ser alimentada en futuros encuentros.

Después del primer encuentro, usted debería saber el nombre de la persona, así como algunos datos sobre esta, su familia o sus vidas. Cuando llama a una persona por su nombre, significa que la relación está a un nivel diferente que en la introducción inicial. Hay una familiaridad al respecto, y la gente se siente más confiada con la gente que conoce. Les dice que a usted le importa lo suficiente como para considerar que conocerles es importante.

Según diversos estudios, cuando se solicitan contribuciones para una organización caritativa, una de las tácticas más eficaces es ponerse como objetivo a la gente que el agente de donaciones conoce personalmente. Es más probable que los donantes hagan un mayor esfuerzo monetario por petición de alguien que conocen a diferencia de alguien que les llama de la organización.

Las *Girl Scouts*, por ejemplo, rutinariamente se dirigen a su familia, familia lejana, amigos, profesores y los compañeros de trabajo de sus padres para vender galletas de las *Girl Scouts*. Una vez han agotado estos compradores potenciales, las chicas pasan a gente que no conocen personalmente.

Cuando los negocios congregan a sus empleados para formar parte de un evento para recaudar fondos contra el cáncer, los empleados piden a sus familias y otros que conocen que les apoyen. Es más fácil pedir a alguien que conoce bien que done dinero a una causa que pedírselo a un extraño. Alguien que conoce no cuestionará sus motivos porque le conocen y confían que la razón por la que les está pidiendo dinero es legítima.

Cuando conozca a alguien por primera vez, haga un esfuerzo por internalizar lo que dicen. Use sus comentarios como trampolín para hacer más preguntas sobre ellos. La gente disfruta hablando de las cosas que más les importan. Escuchar atentamente durante conversaciones es una señal sutil que le dice a la persona que usted piensa que son importantes. Al sintonizar con ellos, hace que esa persona se sienta especial y apreciada. Crear ese sentimiento cálido pone a esa persona de buen humor y un estado mental mucho más receptivo.

Mientras escucha, mantenga el contacto visual. No interrumpa o contradiga nada de lo que digan hasta que hayan terminado. Darle a esa persona su total atención señala que le importa lo que tienen que decir y usted respeta su opinión. Ofrezca elogios honestos y haga preguntas reflexivas. Si están presentando una queja, escúchelos. Este simple gesto puede resolver las emociones negativas que provienen de un problema o distorsión.

Confíe en la conversación educada y encuentre un punto en común. Muestre interés en la persona que está intentando persuadir y asegúrese de que la conversación se centra en ellos y lo que quieren obtener y no usted y sus cualificaciones. Al hacer esto, la persona se siente valorada y apreciada.

Confíe en el encanto para causar una buena impresión. No subestime el valor de la simpatía, especialmente al intentar convencer a alguien para comprar algo, tomar una decisión, o seguir su consejo. No importa lo vasta que sea su experiencia o lo conocedor que sea de un tema, si usted no le gusta a la gente, cualquier intento de persuadir a esta gente probablemente falle.

Al investigar la psicología detrás de sectas y por qué la gente las sigue ciegamente, aunque no encaje con su conciencia social, todo se reduce al carisma. Atracción física, amabilidad y otras amenidades sociales pueden influir en cómo son las personas confiadas y cómo de receptivos son a los intentos de persuasión.

Gustar a la gente es una herramienta que abre puertas, y una vez la puerta se abre, es más fácil dar su discurso de ventas. La técnica de persuasión de meter la cabeza usa cualquier apertura percibida, como una conversación amistosa, intereses compartidos o, a lo mejor, una recomendación de alguien que conoce el objetivo, para conseguir la atención de la persona de interés.

Para persuadir a alguien, tiene que tener su atención. Tiene que sostener su interés. Si no están recibiendo el mensaje, no puede influir en sus decisiones.

Una técnica de persuasión usada por el filósofo griego Sócrates todavía es tan eficaz en tiempos modernos como lo era en la antigua Grecia. Es lo más eficaz para conseguir que la gente reconozca su punto de vista y, a cambio, lo adopte como suyo propio. Esta técnica se basa simplemente en hacer preguntas en las que la persona tiene que decir sí porque la persona no discrepa de las preguntas planteadas.

Según se hace cada pregunta y se responde sí, la persona está más inclinada a estar de acuerdo con ese punto de vista porque se ha vuelto familiar para esta. Sócrates empezaría con temas de conversación en los que había un acuerdo mutuo. Preguntaría después por objetivos y resultados comunes, con respuestas afirmativas como objetivo. Una vez alguien contesta de forma negativa, un no es un obstáculo difícil de superar. Esa es la razón por la que es importante solo hacer preguntas a las que van a responder seguro que sí.

Esta técnica es eficaz porque se centra en llegar a acuerdos, sin tener que provocar un debate. Cuando dos personas pueden llegar a un acuerdo una vez, es posible llegar a otros acuerdos también.

Otra forma de mantener las conversaciones cordiales cuando intenta asegurar un acuerdo es plantar ideas en la mente de la persona para guiar a esa persona hacia la decisión que usted quiere que tomen. La gente, por naturaleza, se resiste y sospecha del resto. Si puede convencer a alguien de que su decisión es un reflejo de sus propias ideas o necesidades, les deja ser propietarios de esa idea. La persona se compromete personalmente con una idea y se asegura su cooperación.

Animar la cooperación es vital para que la conversación continúe. En cuanto a cooperación nos referimos a un toma y daca. Dese tiempo para entender el punto de vista de la persona con la que está hablando. Anticipe cómo van a responder o reaccionar a una petición. Tomarse tiempo para analizar las posibles respuestas de antemano prepararán mejor su respuesta. También le proporcionará la empatía que necesita para conectar con esa persona.

Infundir un sentido de cooperación es una táctica usada para salvar distancias entre grupos con puntos de vista opuestos. Al crear una necesidad de trabajar juntos por un objetivo común, la rivalidad entre los grupos disminuye. Pedir que ayuden en una situación de emergencia, ser voluntarios para congregar recursos para un bien común y ejercitar qué puntos en común se descubrieron cambia la dinámica de presión grupal. En vez de rivales, aquellos que cooperan aprenden que tienen aliados. Cuando los mismos obstáculos se superan, la victoria no pertenece a un grupo o al otro, se comparte mutuamente.

Lo mismo pasa cuando intenta infundir cooperación entre un persuasor y la persona que es persuadida. Tiene que haber un acercamiento en el proceso y un resultado que ambos ven como un triunfo.

Cuando sea apropiado, intente ofrecer compasión. Dígale a la madre soltera que siente que su vida sea difícil. Dígale al viudo que entiende los retos a los que se enfrenta. Si una decisión es especialmente difícil de tomar para una persona, ofrezca su comprensión. Si cometió un error o dijo algo que les ofendió, discúlpese con sinceridad y valide cómo se sienten. Estos pequeños gestos refuerzan el vínculo que se ha estado formando y refresca el espíritu cooperativo.

En todas las interacciones con la gente que está intentando influir, ser educado puede llevarle muy lejos para conseguir su objetivo. No pase por alto los detalles como un saludo amigable o usar buenos modales en sus conversaciones. No sea agresivo apresurando su discurso de ventas. Deje tiempo para que usted y la persona con la que está hablando se sientan cómodos. Cree ambiente y una atmósfera de respeto y acuerdo.

Asuma que la gente quiere hacer lo correcto. Vaya a una reunión asumiendo que la persona es honesta, sincera, honrada, cooperadora y está lista para hacerse cargo de las obligaciones y cumplir con las expectativas. Ofrezca una solución que encaja con estos atributos positivos y sus expectativas. Apele a principios mayores como la generosidad, bondad o simplemente mantener a su familia.

Cuando se pone un listón, la gente aspirará a superarlo. Dele un objetivo a alguien y se motivarán para alcanzarlo. Esa es la razón por la que la gente de ventas obtiene comisiones de las ventas que hacen. Lo mismo pasa con las expectativas. Si espera que alguien tome una decisión lógica y razonada y usted claramente comunica esa expectativa, la mayoría de la gente hará lo mejor que pueda para alcanzar ese objetivo. Pero, sin embargo, si usted supone que esta persona no será capaz de alcanzar el objetivo, usted ya ha perdido. No solo esa persona no responderá a su opinión negativa, pero su motivación para cambiar el resultado se verá afectado de forma negativa también.

Siempre hay muchas decisiones que tomar. Para aquellos que buscan persuadir a otros a actuar sobre una sugerencia o tomar una decisión, siempre hay múltiples formas de conseguirlo. La agresividad tiene su lugar en algunas situaciones, pero no funciona todo el rato. A veces, igual que la liebre y la tortuga en el cuento infantil, sin prisa, pero sin pausa, se gana la carrera y se cierra el trato.

Capítulo 5: Por qué puede que Bruce Lee haya sido el ser humano más sabio

El legendario actor y maestro de artes marciales, el difunto Bruce Lee una vez dijo, "sea como el agua atravesando por las grietas. No sea firme, adáptese al objeto, y encontrará una vía alrededor o a través de este. Si nada dentro de usted se mantiene rígido, las cosas externas se revelarán a sí mismas… Vacíe su mente, abandone la forma. Sea informe, como el agua. Si pone agua en una taza, se convierte en la taza. Usted pone agua en una botella y se convierte en la botella. La pone en una tetera, se vuelve la tetera. El agua puede fluir, o puede golpear. Sea agua, amigo mío".

Estas palabras atribuidas a Lee son poéticas. El significado es filosófico. Las palabras son inspiradoras y alentadoras. Esta cita también ofrece conocimiento inteligente sobre cómo persuadir.

Para entender cómo se aplica esto al arte de convencer a la gente para que hagan lo que usted quiera, es importante observar los elementos de persuasión contenidos dentro de la cita. La cita de Lee tiene una serie de conceptos que se pueden aplicar cuando está influyendo a un mandamás.

El agua es uno de los componentes necesarios para mantener la vida. El cuerpo humano está formado por un 60% de agua. La vida animal y vegetal consume agua. Hace crecer comida, hidrata los músculos y limpia el cuerpo. Existe en diferentes formas, y tiene varias propiedades científicas que la hacen única.

Al analizar la cita de Lee, el primer componente relacionado con la persuasión es "sea como el agua atravesando por las grietas". Cuando intenta convencer a alguien de hacer algo, puede que tenga que buscar una oportunidad para entrar, como el agua buscando una grieta o apertura por la que fluir. No todo el mundo va a estar abierto a escuchar lo que tiene que decir. Algunas personas se cerrarán en banda y se mostrarán reticentes a su persuasión.

A los agentes de policía que han sido entrenados usando las técnicas descritas en el libro *Verbal Judo*, se les enseña a buscar indicaciones que puedan ayudarles a acercarse a un sospechoso o una persona de interés de forma que no sea intimidante. Puede que vean a alguien disgustado y le pregunten qué pueden hacer para ayudarle o qué pasa. Notar expresiones faciales, lenguaje corporal, conducta y otras pistas no verbales pueden ayudar a la policía a dispersar una situación potencialmente peligrosa y dirigir una investigación con un enfoque más relajado. Buscan una forma de entrar y hacer las preguntas que necesitan preguntar.

Si aparece una grieta en una roca o en el exterior de un edificio, el agua encontrará la forma hasta dentro. Esta es una lección sobre persuasión. Necesita buscar una forma de conectar con la persona a la que está intentando persuadir. Encontrar un interés común, hacer preguntas y asegurarse de que se concentran en ellos, son todo formas de asegurarse de que se está integrando en sus vidas. Una de las formas de conectar con la gente es que trate sobre ellos, concentrarse en sus necesidades y deseos y en hacerles sentirse importantes. Esta es la grieta por la que su encanto persuasivo fluirá.

La cita de Lee también aconseja "no sea firme, adáptese al objeto". La definición de firme es tener una personalidad fuerte, convincente y con seguridad en sí mismo. Una personalidad tajante es a menudo objetivo y va directo al asunto. La firmeza puede convertirse en agresividad, especialmente cuando hay demasiado énfasis en la parte enérgica.

Durante las elecciones, la gente que hace campaña por los candidatos de su elección es a menudo firme al arengar a sus simpatizantes. Llamar a puertas, llamadas, emails y mensajes de texto molesta a los votantes en casa, en el trabajo y mientras están de un lado para otro. Involucrarse en este tipo de persuasión requiere un esfuerzo más agresivo porque es muy competitivo y el tiempo para alcanzar a la gente con el poder, que son los votantes, es corto.

Sin embargo, la persuasión firme no es siempre la táctica correcta. Según un artículo de 2017 en *The Wall Street Journal*, los investigadores encontraron que a los consumidores no les gusta que les digan qué hacer, qué comprar y a qué apuntarse. Esto es especialmente verdad para consumidores que ya son leales a una marca o empresa. Pero también depende de qué está pidiendo la publicidad que hagan los consumidores. Comprar productos se recibe de forma menos favorable que apoyar una causa, según los estudios llevados a cabo en 2017.

Cuando se aplica esta idea al objetivo de conseguir que hagan lo que usted quiera, una aproximación menos agresiva probablemente coseche mejores beneficios. Lo primero que debería hacer es establecer un vínculo, para forjar una conexión y crear una buena relación. Entre lentamente en la discusión de lo que está pidiendo. Según se desarrolla la relación, el tiempo puede otorgarle mayor firmeza en su técnica.

La segunda parte de este consejo es adaptarse al objeto, como hace el agua. Un riachuelo de montaña fluyendo montaña abajo se encuentra con árboles caídos, pedruscos, pasajes estrechos y otros obstáculos naturales y hechos por el hombre. El camino que toma el riachuelo montaña abajo a menudo es el que ofrece menos resistencia. Encuentra un camino alrededor, por encima o a través del obstáculo para llegar a un punto de unión con un flujo de agua mayor. Esto ilustra la habilidad del agua para adaptarse a su camino.

Cuando a la gente se le pide hacer algo, la reacción más común es resistirse. Necesitan tiempo para procesar la petición, sopesar las consecuencias de completar sus intereses, su código moral y las reacciones que tendrán su familia y amigos si acceden o no. A veces, se les puede convencer y que cambien de opinión respecto a su primera reacción.

No te lo pongas, un conocido programa de televisión de telerrealidad de principios de los 2000, ofrecía a gente que necesitaba ayuda un vestuario, una tarjeta de crédito y consejo de dos estilistas. La trampa residía en que la persona con falta de gusto tenía que aceptar deshacerse de toda la ropa que los estilistas decidían que no valía y comprar según las reglas de estos. Muchas veces, a lo largo de la historia del programa de televisión, la persona elegida para el cambio de imagen dudaría, ya fuese por vergüenza a que su aburrido armario acabara expuesto en la televisión nacional, por el hecho de que la moda no era una de sus prioridades o porque se sentían incómodos al estar tan expuestos. Muchos de los candidatos vacilaban antes de decir sí.

Es incómodo que le pongan en una encrucijada. La gente reacciona de forma diferente a las peticiones. Algunos necesitan tiempo para pensar en ello. Otros pueden tomar decisiones al instante. A algunos les gusta que les molesten con cosas que no han buscado directamente, mientras que otros tienen muchas reservas al respecto.

Ajustarse a la situación que se presenta y encontrar un camino esquivando los inconvenientes es un paso importante en la persuasión. Como el agua, es importante encontrar diferentes estrategias si bloquean su primer intento. Puede ser algo que dijo una persona lo que le llevó a una estrategia diferente. Puede suponer una conversación posterior. Puede que signifique que tiene que cambiar el lenguaje que usa o las iniciativas que ofrece.

Continuando con este análisis de la cita de Lee, "si nada dentro de usted se mantiene rígido, las cosas externas se revelarán a sí mismas", meterse en una discusión con nociones preconcebidas no es una buena forma de alcanzar sus objetivos. El agua no es rígida. Es fluida, cambiando de forma y adaptable.

Al discutir la rigidez y cómo puede afectar a la comunicación persuasiva, hacer memoria de cómo reacciona la gente al ser simplemente recordada sobre las reglas es una consideración importante. Acercarse a una persona con un plan establecido que no permite la meditación no es una técnica viable. No ofrece ninguna opción si la primera estrategia falla.

La rigidez es un término que se aplica a síntomas en el diagnóstico de la enfermedad del Parkinson. Hace referencia a la dureza o falta de flexibilidad de las extremidades, cuello o tronco. Esta falta de flexibilidad es incómoda y dolorosa.

La habilidad de ser flexible cuando ejerce el arte de la persuasión es crítica para cerrar el trato o conseguir que la persona haga lo que usted quiera. No todas las situaciones serán iguales, cada persona es única. Una técnica que funciona bien sin complicaciones para un cliente potencial puede que no funcione para los diez siguientes que entren por la puerta.

Para compensar esta imprevisibilidad, algunas empresas proporcionan guiones para que usen sus agentes de ventas, según la respuesta del cliente. Estos guiones permiten a los vendedores usar una estrategia diferente para obtener resultados. Crear un guion para posibles obstáculos que un cliente pueda desplegar mantiene el proceso de ventas por buen camino y ayuda a disipar dudas por parte de los clientes potenciales. Los guiones proporcionan un mensaje y estrategia cohesiva, pero permite variaciones basadas en las respuestas de los clientes.

Hay un eslogan motivacional usado a veces en ventas. NO significa Nueva Oportunidad. Una estrategia persuasiva que empieza y acaba con un *sí* o un *no* deja poco espacio para crecer y cambiar. No hay una nueva oportunidad si convencer a una persona acaba sin una afirmación.

Cuando alguien dice no, averigüe por qué. Como en la cita de Lee, las razones se desvelarán por sí solas. Evitar la rigidez le permite descubrir las razones y abordar estas preocupaciones rápida y eficazmente. Le da una razón para continuar la conversación y desplegar otros métodos de persuasión para convencer a la persona de lo contrario.

Lee le dice entonces al lector que "vacíe su mente, abandone la forma. Sea informe, como el agua". Esto es una sugerencia de no esperar que todo salga según lo planeado. Piense rápido y no llegue con grandes expectativas. Tener un plan o un *modus operandi* está bien, pero no permita que tome una forma específica.

Otra analogía con agua viene a la cabeza para reforzar esta idea. Es dejarse llevar por la corriente. A veces las mejores estrategias se formulan en el momento, basadas en la información recogida en la escena. Cualquier cantidad de factores pueden influir la decisión de una persona, desde el clima a dinámicas familiares. No tener un plan puede ser una ventaja.

A los oficiales de policía y personal militar a menudo se les pide que se inventen un plan cuando lleguen a una escena o durante un simulacro con armas. Reconocen el terreno y después diseñan un plan. Está basado solamente en lo que está pasando en ese momento, las observaciones realizadas y el conocimiento de los recursos del enemigo en el área igual que sus tácticas habituales.

Entrénese para buscar pistas en el entorno que puedan indicarle la dirección que necesita tomar para ser convincente. Deje que la conversación, con la persona a la que quiere persuadir, sea el reconocimiento para crear su plan. Vacíe su mente de todas las ideas preconcebidas sobre la persona, en cambio, use el razonamiento deductivo para formar la estrategia que tomará.

Siguiendo con la cita, Lee aconseja que "si pone agua en una taza, se convierte en la taza. Usted pone agua en una botella y se convierte en la botella. La pone en una tetera, se vuelve la tetera". La habilidad de adaptarse a la situación es un rasgo clave a tener cuando usa el poder de la persuasión. Una persona puede ser una taza mientras que otra una botella y la tercera una tetera.

La ruta que toma cada persona para llegar a un punto particular en sus vidas es diferente. Reconocer estas diferencias puede ayudar a modificar sus estrategias para ser más eficaces. Algunas personas son lógicas, de manera que apelar a su inteligencia y usar explicaciones razonables sería lo más eficaz. Otros son impulsivos. Para influir mejor a las personas que toman las decisiones, concéntrese en lo que remueva sus emociones. Puede que algunas personas que se encuentre estén lidiando con muchas cosas, por ejemplo, trabajo, familia, aficiones, etc. Valore su tiempo y dé su discurso teniendo eso en cuenta. Otro grupo de personas puede que tenga mucho tiempo entre manos. Encontrar una forma de involucrar a este grupo y ligarlo a su estilo de vida puede que sea la táctica que necesita.

Los psicólogos han descubierto que los mensajes dirigidos a persuadir son más eficaces cuando se hacen a medida de la audiencia. Hablar con alguien con estudios superiores requeriría una estrategia diferente, a lo mejor una que implica más investigación e identificación de recursos que hablar con alguien con un graduado escolar. Hablar con un grupo de agentes de ventas será diferente a hablar con un grupo de médicos o profesionales de la medicina.

A los escritores se les dice que escriban para su público. Un artista escogerá cuidadosamente la exhibición que encaja estrechamente con su estilo.

La sabiduría de Lee se vuelve incluso más profunda cuando se consideran las propiedades del agua y se aplican a las teorías de la persuasión.

La cohesión es la habilidad del agua de mantenerse unida a si misma fácilmente. Los negocios se esfuerzan por construir un personal cohesionado, uno en el que todos los miembros del equipo se mantienen unidos y trabajan todos juntos.

Cuando se aplica a la persuasión, es importante que todos los mensajes usados para persuadir sean los mismos. Los mensajes contradictorios y la falta de argumentos cohesionados causarán confusión.

El agua también tiene las propiedades de la adherencia. Esta es la habilidad de unirse a otras cosas. Piense en un vendaje sobre una herida. Está diseñado para pegarse a la piel para mantener la herida limpia y reducir el riesgo de infección.

Para persuadir, encuentre una forma de unirse a la persona a la que está intentando convencer. Encontrar intereses en común, forjar una relación y usar herramientas para hacer que esa persona se sienta importante son algunas de las formas de cosechar la propiedad de adhesión en una capacidad persuasiva.

Capítulo 6: Principios de persuasión científicamente probados que necesita saber

Hoy por ti y mañana por mí.

Esa expresión común es un ejemplo de un principio fundamental de persuasión.

Hay varios de estos principios de persuasión científicamente probados, examinados por el profesor de psicología Robert B. Cialdini en su libro *Influencia: Ciencia y práctica*. Identifica seis principios como los que hay que saber a la hora de persuadir a la gente para que hagan lo que pide. Estos seis principios son *reciprocidad, escasez, autoridad, consistencia, gustar* y *consenso.*

La ciencia detrás de cómo hacer que la gente acepte hacer cualquier cosa que les pida ha sido estudiada e investigada durante décadas. Mientras que parte de la psicología básica se mantiene igual, las innovaciones tecnológicas y dinámicas de socialización han reclamado nuevas interpretaciones. Entender cómo funciona la influencia puede ayudar a conseguir sus metas y protegerle de influencias externas no bienvenidas que puede que no tengan las mejores intenciones respecto a usted.

El primer principio que Cialdini discute es la *reciprocidad*, el principio implícito en la frase de apertura de este capítulo. ¿Conoce a alguien que compra regalos de Navidad extra por si alguien que no está en su lista les hace un regalo? Para esta persona, cuando alguien le da un regalo, tienen que devolver el gesto. Mientras que puede que se considere como buenos modales, es también muy eficaz para conseguir que la gente esté de acuerdo con algo.

¿Le gustaría huir del nevado norte por unos días soleados en Florida? Esta empresa le pagará su estancia en un hotel, le ofrecerá cheques de comida y le dará acceso a todas las amenidades. ¿Suena bien? Todo lo que tiene que hacer es aceptar ir a un seminario de multipropiedad durante su estancia.

La mayoría de la gente sabe que esas vacaciones *gratis* no son en realidad gratuitas, es un compromiso para aguantar un programa de ventas intensivo con la esperanza de que firme para adquirir una multipropiedad en el resort. Esas vacaciones gratuitas pueden acabar costándole miles de dólares hacia el final de sus vacaciones en Florida.

La empresa de multipropiedad está usando la reciprocidad para ganar una audiencia cautiva para el discurso de ventas. El *regalo* de las vacaciones gratuitas ejerce presión en aquellos que aceptan el regalo para devolverlo de alguna forma. Las tradiciones nos dicen que tenemos la obligación de devolver una buena acción con un acto igualmente amable.

Muchos académicos creen que esta reacción obligatoria a un regalo es el resultado de una evolución cultural. Los humanos tuvieron que aprender a compartir recursos y trabajar juntos para sobrevivir a la brutalidad de la historia humana. Cada persona cuidaba de los demás, y ese acto de protección se devolvía igualmente.

Los regalos también pueden causar conflictos a la persona que recibe el regalo. Por ejemplo, comprar una copa a alguien en un bar puede que parezca algo amigable que hacer. Para muchas mujeres, sin embargo, ese regalo viene con una obligación tácita. Mientras que puede que resulte halagador para algunas personas que les muestren interés, también produce sentimientos de incomodidad al preguntarse qué entraña aceptar ese regalo.

El segundo principio universal es la escasez. La premisa detrás de esta es que un artículo en escasez es excepcional, o lo que no está ya disponible se vuelve mucho más deseable. La gente quiere lo que no puede tener. Es la naturaleza humana.

Edición limitada. Oferta exclusiva para TV. Lo nunca antes visto. Se agota el tiempo. Son frases como estas las que despiertan el interés de la gente y convierten algo que nunca habían pensado comprar antes en algo que tienen que tener.

En 1973, una escasez percibida de pañuelos de papel acabó en las noticias después de que un oficial electo lanzase un comunicado que, debido a una escasez en Japón, el gobierno de EE.UU. había sido incapaz de asegurar suficiente papel higiénico para suministrar a las tropas. El presentador del programa de televisión nocturno Johnny Carson hizo una broma sobre la escasez de papel higiénico, adornando el resumen de noticias. Aunque los productores nacionales de papel indicaron que el suministro era suficiente y no había escasez, la gente empezó a comprar y acumular papel, incluso pidiéndolo como regalo en ocasiones especiales.

Algunas tiendas doblaron el precio que cobraban y limitaron la cantidad que podían comprar los consumidores. No ayudó, y el suministro de las tiendas desaparecía a diario. El papel higiénico se convirtió en un artículo de lujo. Se vendía y compraba, incluso en el mercado negro. El frenesí duró alrededor de cuatro meses.

Los consumidores equiparaban un espacio vacío en un estante o planta de exposición como una indicación de que el producto era importante porque estaba agotado. Crear una sensación de urgencia al pedir a alguien que haga lo que quiere es una forma de incorporar este principio en la persuasión. El mensaje de "actúe ahora antes de que desaparezca" es eficaz. Esa es la razón por la que las empresas incluyen fechas de vencimiento en cupones o promociones de ventas.

Sin embargo, la misma mentalidad que lleva a la gente a acumular papel higiénico también puede usarse para manipularles a hacer compras que no necesitan.

El tercero en la lista es el principio de *autoridad*. La premisa de este principio es que la gente confiará en alguien que reconocen como una autoridad, ya sea por apariencia, ropa, credenciales visuales... La confianza puede ser tan profunda que la gente puede cumplir con peticiones que son inconsistentes con su carácter, como infligir daño, como un experimento probó en 1974.

A los niños se les enseña a escuchar a aquellos con autoridad, como sus padres, profesores, directores escolares, policía, clero... Esto continúa en la vida adulta. Los adultos trabajadores aprenden la jerarquía de su lugar de trabajo y saben que tienen que hacer caso a su jefe y sus superiores. La gente ve a alguien con uniforme dirigiendo el tráfico en una intersección y saben que tienen que seguir sus indicaciones. La mayoría de la gente respetuosa con la ley no duda en actuar según las instrucciones de un oficial de policía.

Las figuras de autoridad prevalecen en una sociedad estructurada. Los estudios demuestran que la gente es más propensa a confiar en el conocimiento y experiencia de un profesional de la salud que exhibe sus credenciales en la pared de su consulta. Un profesor que ha publicado artículos sobre su materia está mejor considerado que un profesor sin publicaciones. Es más probable que se tomen en serio a alguien que lleva uniforme que alguien que no, incluso aunque suponga tener que entregarles dinero.

El respeto y adhesión a la autoridad crea un problema. Es plausible que una persona con autoridad pueda usar su posición en la comunidad para aprovecharse de la gente. Por ejemplo, si un médico prescribe un tratamiento que no es en el mejor interés del paciente, puede que sus órdenes pasen sin cuestionarse. Ha habido incidentes demostrados de oficiales de policía abusando de su poder con avances sexuales o intimidando a testigos potenciales. Recientemente, un entrenador universitario fue expuesto por no seguir el protocolo relacionado con un incidente de violencia doméstica supuestamente cometido por un ayudante del entrenador.

Para persuadir a alguien usando este principio, usted debería vestirse de forma profesional y apropiada para la decisión que quiere que tomen. Un agente inmobiliario, por ejemplo, se vestirá de forma diferente que un paisajista. Un médico llevaría bata. Una abogada llevaría un traje. En todos estos ejemplos, las ropas que llevan no solo indican su profesión, sino que les establecen como figuras de autoridad respecto a lo que hacen.

Establecer su experiencia en el primer contacto también es beneficioso para establecerle como una autoridad. Cuando se compartían con los clientes potenciales las credenciales de los agentes inmobiliarios en una oficina en el primer contacto, el número de visitas confirmadas aumentó de forma considerable.

Otra forma de establecer su autoridad en relación con el objetivo de la persuasión es tener las herramientas que necesita para el trabajo. Tarjetas de visita, cartas de referencias, un currículum y cualquier otra documentación necesaria para presentarse y destacar sus credenciales.

La *consistencia* es el cuarto principio fundamental de la persuasión. La explicación de esta teoría sugiere que una vez una persona escoge una causa, los obstáculos personales e interpersonales harán que esa persona se comporte de forma consistente con su compromiso original.

Normalmente, una persona hará una pequeña promesa, como ser voluntario en un refugio animal local una vez al mes. Según cumplen esta promesa, se verán empujados a continuar siendo voluntarios o ayudando con otras necesidades, como recaudando fondos. Es probable que ese vínculo continúe por un largo periodo de tiempo.

La consistencia es uno de los rasgos de la personalidad que se consideran deseables. Significa que se puede confiar en una persona. Sus acciones coinciden con sus creencias y palabras. La gente cuya postura sobre cuestiones cambia contantemente o dice una cosa y hace otra, no tienen consistencia. Con este tipo de persona, es difícil confiar en lo que dicen que harán.

Pero también hay una trampa. Cambiar de opinión sobre un tema no es algo malo. Demuestra crecimiento, un mejor conocimiento y una percepción mejorada. Es mucho más fácil aferrarse a las mismas creencias por pura consistencia que revisitar el problema continuamente. Es casi como como un piloto automático de nuestras creencias e ideales.

Como persuasor, la consistencia debería estar en su abanico de técnicas. Intente conseguir primero un pequeño compromiso. Una vez asegurado, es probable que la persona acepte compromisos adicionales.

Una empresa que instala sistemas de filtrado de agua, por ejemplo, querrá asegurar un compromiso de un potencial cliente para que haga un test de calidad de agua en su casa. Cuando un cliente accede al test, el siguiente paso es mostrar a los propietarios cómo puede ayudar el sistema de filtrado. Como ya han aceptado realizar el test de agua y expresado sus inquietudes sobre la calidad del agua corriente, el siguiente paso es fácil. Si los propietarios están preocupados por el agua, entonces querrán una solución, y un agente de ventas de la empresa está preparado para ayudar con este siguiente nivel de compromiso.

¿Preferiría darle dinero a un extraño o a alguien que conoce y le agrada?

En pocas palabras, ese es el concepto detrás del quinto principio fundamental de la persuasión. La gente es más receptiva a peticiones hechas por amigos o familia. Si usted no es ninguno de estos, es importante ser agradable para ser lo más persuasivo posible. ¿Y cómo podría comunicar esto en un entorno online?

Es más fácil determinar si nos gusta alguien cuando estamos sentados en la misma habitación que esta persona. Podemos leer sus expresiones faciales, escuchar entonaciones en su voz, determinar si su apretón de manos es firme o flojo, ver su lenguaje corporal y simplemente intuir cómo es esa persona. Cuando interactúa en el mundo digital, algunas de las formas de juzgar el carácter de una persona quedan descartadas.

Los expertos dicen que tres características determinan si alguien pasa el examen de la simpatía.

Primero, a la gente tiende a gustarle las personas parecidas a ellos. En un estudio realizado por una escuela de negocios, a los participantes se les daba una fecha límite para negociar un acuerdo. De aquellos en este grupo, un poco más de la mitad, sobre el 55%, llegaron a un acuerdo. A un segundo grupo se le dieron instrucciones similares, con directrices adicionales de llegar a conocer a las otras personas en la habitación. Con este segundo grupo, después de buscar similitudes entre sus compañeros de clase del MBA, nueve de cada diez participantes fueron capaces de llegar a un acuerdo, según Cialdini.

Esto se utiliza a menudo en varias situaciones de ventas. Asistir a una fiesta donde se presenta un producto, como velas, menaje, joyería, lencería o incluso juguetes eróticos es una forma popular de que los vendedores muevan sus productos. Se le proporcionan regalos al anfitrión a cambio de invitar a algunos amigos, vecinos, compañeros de trabajo... Estas fiestas normalmente empiezan con alguna actividad para romper el hielo, algo que ayuda a la gente a conocerse. Forjar este vínculo hace esta experiencia más divertida y añade presión para aumentar las ventas. Cuando los asistentes a la fiesta ven a otros comprar, perciben que, si estos artículos están en tanta demanda, los productos deben merecer la pena. Se ven impulsados a hacer lo mismo, para regocijo de los vendedores que recogen los beneficios de los pedidos.

Un segundo factor de la simpatía es si alguien le elogia o no. Esto toca la autoestima de la otra persona, sube su ego y les vuelve más receptivos a usted. Incluso decir "me gusta" puede ser suficiente para integrarse con la otra persona. Elógieles por su decoración, inteligencia, sentido del humor o mascotas. Para encontrar cosas que alabar, mire por su casa, una fotografía en su mesa o alguna otra pista. La gente tiende a guardar recuerdos a mano de las cosas que más les importan.

Solo asegúrese de que los halagos que usa son apropiados, especialmente cuando dirige un negocio. Evite elogios que puedan ser percibidos como acoso sexual y cualquier cosa que pueda incomodar a la gente.

Cuando conozca a una persona en un entorno social, se aplica lo mismo. La gente busca una forma de conectar con otras personas, y aquellos que hacen que una persona se sienta bien son los más apreciados. Sea sincero en sus elogios.

Por último, a la gente le gustan otros que contribuyen para llegar a un objetivo mutuo. Considere la dinámica de un equipo deportivo. Diferentes personalidades se juntan para jugar a un deporte con el objetivo de tener una buena temporada. Mientras que puede que el objetivo se consiga o no, el hecho de unirse y hacerlo lo mejor posible en el campo, la pista o la cancha, marca la diferencia en cómo le perciben.

En cambio, piense en cómo reacciona respecto a la gente que no participa, pero quiere recoger la recompensa. Un grupo de compañeros de clase que tienen que trabajar juntos en un proyecto para conseguir una nota contribuyen equitativamente en el trabajo. Cuando esto pasa, todo funciona bien y se establece una relación positiva. Cuando uno o más miembros del grupo holgazanean, aparece el resentimiento y es probable que los otros miembros tengan una opinión negativa de aquellos que no cumplieron con su parte.

Gustar a alguien es una de esas consideraciones que varían de persona a persona. Usted no le va a gustar lo suficiente a todo el mundo como para hacerse mejores amigos, invitarle a una fiesta o incluso esperar verle otra vez. Eso está bien. Hágalo lo mejor que pueda para encontrar puntos en común, halagarles y mostrar su disponibilidad de ayudarles a que alcancen su objetivo y la interacción será productiva.

El sexto principio fundamental de la persuasión es el *consenso*. Esto no está influido por un individuo sino por lo que la persona percibe que otros hacen. Por definición, el consenso es el acuerdo unánime de todos los implicados. También significa solidaridad del grupo respecto a acciones y creencias.

La teoría es que las personas que están tomando una decisión harán lo mismo que hacen otras personas. Una teoría en comunicación persuasiva que respalda este tipo de toma de decisiones es la teoría de la demostración social. Es un método usado por muchos gobiernos y organizaciones no lucrativas para animar al público a actuar de cierta manera como "no beba si conduce", por ejemplo. Términos como *mayor crecimiento* o *éxito de ventas* usados en publicidad mandan un mensaje que hace pensar a otros que este producto es genial y no deberían perdérselo.

Uno de los consejos para la recaudación de fondos cuando solicita donaciones en metálico o cuando trabaja por propinas, es poner unas monedas de antemano en el tarro. La presencia de donaciones a plena vista anima a otros a dar también. Sugiere que la respuesta apropiada es hacer una donación o poner algunas monedas en el tarro de las propinas. Las iglesias dependen mucho de este método. Mientras pasan la cesta de la colecta por el pasillo, la gente se ve obligada a dar porque todo el mundo ha hecho lo mismo.

Igual que los superpoderes, estos fundamentos también pueden usarse por razones menos nobles. La ingeniería social es una manera moderna de ganar confianza y seguridad para aprovecharse de la gente. La piratería informática es un ejemplo de cómo estos conceptos pueden poner a gente en desventaja cuando se usan por personas con malas intenciones. Es importante entender los fundamentos para conseguir su propio éxito, pero es igual de importante entender cómo estas mismas tácticas pueden usarse en su contra.

La ingeniería social es un término moderno que se refiere a manipular, influir, o persuadir usando medios engañosos para ganar acceso a un sistema operativo u obtener información confidencial. Esto se hace usando un teléfono, email, dirección postal o redes sociales. No está restringido a piratear un ordenador. Puede ser de carácter personal también, al intentar conseguir que una persona proporcione información, como números de cuentas bancarias, contraseñas, números de la seguridad social u otra información personal.

Debido a que la ingeniería social funciona con cierta conexión percibida entre el pirata y la víctima, la gente es más confiada en ciertos escenarios de ingeniería social. Por ejemplo, puede que una persona reciba un email aconsejándole que su tarjeta de crédito mostraba una actividad inusual. Puede que el criminal no sepa seguro si tiene esa tarjeta de crédito, pero si es una de las más comunes, es muy probable que sea el caso de la víctima potencial.

El email puede incluir un enlace a una página web para el cliente para verificar su información. Los criminales pueden usar una copia del logo de la empresa de la tarjeta bancaria y replicar la página auténtica para convencerle que el email y página enlazada son legítimas. La gente tiene una falsa sensación de seguridad a la hora de interactuar online. Un enlace al alcance de la mano, una petición que suena oficial, y en poco tiempo, puede que los criminales sean capaces de engañar a una víctima potencial y obtener la información de su cuenta para suplantar su identidad.

Otros mensajes que puede recibir pueden indicar que un amigo o familiar está en peligro y necesita su ayuda inmediatamente. Puede ser una petición de donaciones para apoyar una causa justa, como ayuda humanitaria, una notificación de un premio de una rifa o alguien suplantando a su jefe o compañero de trabajo.

En otro escenario, el enlace puede contener un malware embebido. Esta aplicación de software está diseñada para recoger información adicional sin su conocimiento mientras usted usa su ordenador para dirigir su negocio. O puede contener un virus que destruye archivos y obstaculiza su sistema operativo.

Estas argucias operan con la premisa de que usa algo de valor o algo importante para la víctima deseada de forma que esa persona muerda el anzuelo. El fraude electrónico hace morder el anzuelo a la persona con las esperanzas de que la esperada recompensa para la víctima sea demasiado buena como para no responder.

En algunos casos, el criminal creará una identidad falsa en las redes sociales usando su información para causar problemas. En este tipo de situaciones, el motivo puede ser la venganza por una ofensa percibida, pero también podría usar su identidad para dirigirse a otros. A menudo estas estafas implican engatusar a la víctima por su dinero o dañar su reputación.

Estudiar y aplicar fundamentos probados del arte de la persuasión puede suponer la diferencia respecto a cómo alcanza sus objetivos. También le proporciona una referencia cuando es el objetivo de un manipulador que puede estar usando estos mismos fundamentos para cometer un crimen. Igual que los cimientos de un edificio son el punto inicial de una construcción, los fundamentos le proporcionan un conocimiento de la persuasión y control mental, un lugar fiable donde empezar.

Capítulo 7: Estrategias de manipulación secretas que la gente no quiere que usted sepa

La comunicación persuasiva normalmente se practica con el propósito de influir a la gente a comprar, votar por un candidato, hacer una promesa, o por razones que ofrecen algún beneficio a las partes implicadas. Sin embargo, esa no es la única forma en la que se usan las técnicas de persuasión.

Aquellos que tienen motivos que no son decentes, éticos o morales, tienen métodos para ponerse a la delantera de sus víctimas. La vulnerabilidad es un rasgo atractivo para estos manipuladores. Su presa son víctimas que pueden ser influidas por sus propias emociones y aquellas que no son conscientes de cómo funcionan estos explotadores.

Al aprender sus trucos, y entender la motivación de las víctimas, usted puede protegerse contra estas estrategias. Cualquiera puede ser una víctima porque todo el mundo es vulnerable en algún momento de su vida. A todo el mundo le influyen sus emociones. Las decisiones tomadas cuando una persona está triste puede que sean diferentes de cuando están contentas. Alguien que se siente solo es una buena víctima porque la mayoría quiere encontrar pareja, amigos o compañía. Esa soledad abre la puerta para aquellos con experiencia en la seducción.

La seducción no se refiere a un objetivo sexual, aunque esa es la connotación más frecuente. Los seductores con experiencia discutirían que la seducción trata sobre el juego y la recompensa es conseguir que alguien les desee. La seducción se define como algo que atrae o cautiva. A los humanos les cautivan muchas cosas, por ejemplo, el dinero, poder, gratificación sexual y amor y es el deseo por estas recompensas de donde los seductores sacan su poder.

A veces, es la anticipación de que algo deseado estará al alcance de la mano lo que dirige a una persona a la trampa de la seducción. Considere lo emocionante que es reservar unas vacaciones o hacer planes con un buen amigo. Es a menudo la expectativa de lo que pasará lo que hace que el esfuerzo merezca la pena.

O, por poner otro ejemplo, el aliciente de un nuevo trabajo con un sueldo más alto y el ambiente de trabajo mejor es poderoso, especialmente si alguien no está contento con su empleo actual. Que le llamen para hacer una entrevista o le ofrezcan un trabajo le sube la autoestima. Si un empleado no se siente apreciado, un nuevo empleo es una posibilidad tentadora.

Pasa lo mismo con una seducción realizada por razones inmorales o deshonestas.

El primer paso en el proceso de seducción, como todos los intentos de persuasión, es escoger una víctima. Tiene que ser alguien fácilmente seducido por los encantos de un seductor. Aquellos que están emocionados de trabajar con usted no son un buen objetivo. Lo más probable es que tengan sus propios motivos y busquen algún tipo de acuerdo recíproco.

Alguien que se siente atraído por usted por alguna razón o alguien que le atrae a usted si usted es la víctima intencionada, es una elección mejor para la seducción. Esta atracción puede ser debida a su posición en la empresa, sus credenciales o incluso su apariencia.

Es difícil determinar la atracción física, ya que las preferencias personales a menudo influyen en la determinación de la atracción, igual que las influencias sociales.

Es ampliamente aceptado que la gente considerada por otros como atractiva tiene una ventaja respecto a cómo les perciben otros. Un efecto de halo es cuando una característica de una persona es la base de cómo les juzga la gente. Las investigaciones determinan que se percibe a la gente atractiva como amable, honesta, inteligente y con talento, sea verdad o no para ese individuo. Los estudios también indican que la gente no es consciente de que está tomando decisiones basadas en el atractivo físico.

Este favoritismo por la atracción física ha sido demostrado en las elecciones políticas, el proceso de contratación de candidatos o sistemas judiciales. Y a la hora de influir a otros para que tomen decisiones, las personas atractivas tienen mejores resultados, según estudios e investigaciones.

Esa es la razón por la que la atracción física juega un papel tan importante en la seducción. La habilidad de cautivar a alguien es más fácil cuando esa persona tiene el mismo sesgo que otros respecto al atractivo.

La atracción también puede venir de atributos no físicos, como la percepción de amabilidad, inteligencia, intereses en común, un buen sentido del humor, o cualquier otro rasgo que tiene una reacción positiva entre dos partes. Cualquiera que sea ese atributo, los seductores trabajan para determinar qué es y asegurarse de que su víctima se concentra en esa atracción.

Para influir a alguien, tiene que haberse hecho una conexión. En el día a día, esto se hace con una sonrisa, saludando o un vendedor ofreciéndose a ayudar en la tienda. En el oscuro mundo de la seducción, esta interacción toma un enfoque diferente. El objetivo es hacer que la víctima actúe por sus propios deseos, para que sea una estrategia más sutil, aunque mucho más concentrada.

Estas tácticas incluyen dirigirse a la persona indirectamente, a lo mejor a través de un amigo en común o simplemente entablando una conversación. Esto introduce al seductor lentamente en la vida de la potencial víctima.

Esto es particularmente cierto en entornos de trabajo en los que la seducción tenga el objetivo de un puesto mejor o más prestigioso en la empresa. Conseguir una posición establecida con la persona que puede ayudarle a alcanzar esto requiere una metodología sutil e indirecta.

A continuación, el seductor mandará mensajes contradictorios. Estos pretenden confundir y también intrigar a la víctima. El seductor espera que la víctima quiera averiguar más, para determinar el personaje real que el seductor plasma.

Salpique sus conversaciones con frases, historias y anécdotas que exageren su inteligencia o estatus social. El propósito de estos chismes bien utilizados es crear un personaje mejor que la realidad. En otras palabras, conviértase en la persona que quiere ser, ya sea el CEO o Casanova. Aprenda a predicar con el ejemplo para encajar en el círculo social en el que necesita estar. Esto solo aumenta su atractivo.

La gente quiere lo que otros tienen. Ese es uno de los principios que impulsan el consumismo. Cuando un producto es popular para otros, los consumidores no quieren perdérselo y harán la compra. Lo mismo pasa cuando una persona intenta influir a alguien en un intento de seducción. Crear un triángulo amoroso o estar de golpe en una relación siembra la idea de que el seductor es todo un partido, y la habilidad de atraparle como pareja alimenta su vanidad, como ha sido expresado por expertos en seducción.

Cuando se aplica a una situación laboral, reconozca las conexiones que hace y sus logros, pero evite nombrar a gente importante o fanfarronear. Crear una lista online de clientes o exhibir el número de casas vendidas este año en una publicación en las redes sociales es una forma discreta de echarse flores. Asegúrese de que incluye una respuesta humilde, agradeciendo a otros su ayuda para ganar este reconocimiento.

Esto tiene dos propósitos. Uno, mejora la impresión de su éxito exhibiéndolo. Eso significa que no tiene que hablar de ello. Dos, sugiere que usted es humilde y agradecido con sus compañeros de trabajo, amigos y familia. Puede que esto no sea cierto, pero ha usado esta oportunidad para crear esa impresión.

Crear descontento con las circunstancias de la víctima es otra forma en la que el seductor entra en la vida de la víctima. La idea es que la víctima vea al potencial seductor como la respuesta a los problemas de su vida. Si la víctima empieza a creer, por ejemplo, que su pareja no les aprecia, esto, a su vez, crea el descontento. Si la víctima lleva un estilo de vida independiente, un seductor puede que haga que la víctima se pregunte qué falta en su vida y el desahogo que supondría tener una pareja. Cuando la víctima formula estas dudas, el seductor puede presentarse como el salvador.

Encuentre una forma de señalar los problemas en las aplicaciones de negocios para practicar el arte de la seducción en su trabajo. Indique quién o cuál es el problema y después ofrezca una solución. Use el descontento en la oficina para proponer sus ideas para el cambio. Ya sea la razón económica, de personal o de percepción pública, señalar los fallos y ofrecer una forma de arreglarlos le convierten en un valioso activo para la empresa.

Igual que los cineastas usan el suspense para mantener a la audiencia interesada, los seductores aplican esta técnica en las relaciones que cultivan con sus víctimas. Hacen algo que parece ser espontáneo, como mandar flores sin ningún motivo, por ejemplo. El elemento sorpresa mantiene a la víctima pensando qué será lo siguiente y evita que el interés disminuya.

Otra técnica es asegurarse de que tiene su atención. La víctima tiene que escuchar y creer lo que se le dice para que funcione la seducción. Los seductores se asegurarán de que sus frases son lo que la víctima quiere oír. Utiliza sus inseguridades, y les hace dudar de su situación actual.

Decirle a la gente lo que quiere oír es una técnica de persuasión probada. Afirmar lo que creen crea un aliado en la situación y una conexión enraizada en cómo el seductor les hace sentir emocionalmente.

Incorporar un valor de entretenimiento en una presentación o conversación es una herramienta simple para reforzar pensamientos agradables sobre usted. Cuando tiene la atención de la multitud o el individuo que se ha fijado como objetivo, haga que sea memorable. No solo le da al público algo de lo que hablar, sino que también les hace recordarle.

Cuando una persona experimenta algo, esa experiencia se vuelve un recuerdo. Para convertirlo en un recuerdo que se puede rescatar fácilmente, los expertos en memorización dicen que hay que reforzar lo que está intentando aprender con elementos dramáticos. Cuando está en medio de una seducción, quiere ser inolvidable. Quiere estar en sus pensamientos, y quiere que su nombre sea el primer pensamiento cuando tiene que escoger algo.

Una seducción exitosa usa la estrategia para conseguir los resultados que el seductor quiere. Sea demasiado agresivo al maniobrar y el tiro puede salirle por la culata. Puede asustar a la víctima o a aquellos a los que quiere impresionar. Planee su estrategia para hacer que la otra persona sienta que está a cargo. Deles la impresión de que son superiores a usted de alguna forma. Mostrar su vulnerabilidad es un movimiento de psicología inversa. Sacarse partido como el subordinado juega con la buena naturaleza de su planeada víctima. Esto les desarma y refuerza el vínculo que tiene con usted.

La estrategia de seducción también implica crear la ilusión de que se dará cuenta el objetivo debido a usted. ¿Cuáles son sus sueños? ¿Son unas vacaciones en Belice? ¿Es casarse y tener una familia? ¿O simplemente hacer que su vida sea más fácil?

Cualquier cosa que deseen sus corazones, este sueño debería ser parte de la ilusión que crea de su futuro. Incluso si su meta es vender un producto a su objetivo, juegue con la parte de sus sueños que son relevantes. Muestre cómo comprar este producto hará su vida más fácil y así podrá estar más tiempo con su familia, por ejemplo. No mienta, simplemente adorne lo que tengan.

Descubrir los deseos secretos del objetivo es crucial para crear esta ilusión. Haga los deberes y descubra qué es lo que más quieren en este mundo. Una vez tenga esta información, usted puede empezar a construir la ilusión y asegúrese de transmitir que tenerle a usted en sus vidas es clave para que sus sueños se conviertan en una realidad.

La unión hace la fuerza y esa es la razón por la que es importante aislar a su objetivo. Deshacerse de influencias externas y otros que influyen en la víctima, fuerza al objetivo a recurrir a usted para apoyo. Esta es una técnica de victimización común. La gente es más vulnerable cuando están solos o en un territorio poco familiar. Cuando usted es todo lo que tiene para buscar consejos, consuelo, afecto y atención, usted les tiene en su poder.

En algunas situaciones, lo opuesto puede ser eficaz. Al hacer creer al objetivo que son su única alternativa, como una oportunidad laboral, sugiere que su empresa es especial y que son importantes. Eso crea un efecto de bienestar que puede mejorar sus posibilidades.

Cuando encuentra resistencia en sus intentos de seducción, encuentre una forma de demostrar lo que vale. Realice un acto desinteresado por esa persona o planee una tarde especial. Desvivirse para refutar sus dudas disminuirá su resistencia. Demuestre su valía y mérito y renueve sus esfuerzos.

A menudo, las relaciones pasadas del objetivo ofrecerán información sobre lo que necesita añadir a su estrategia. ¿Qué era lo que les hacía feliz de su anterior pareja? ¿Qué muestras de cariño son las que recuerda con más afecto? Una vez tenga este tipo de información, puede usarla en su provecho desatando estos recuerdos felices. Si un amor anterior siempre le daba al objetivo una flor específica, asegúrese de que consigue esa misma flor. Si una escapada a una casa en un lago fue un recuerdo feliz, encuentre una forma de evocar esas emociones asociadas con esto.

El propósito de esta táctica es provocar que el objetivo regrese a un recuerdo que les hace feliz. Al estimular recuerdos placenteros y colocarse usted en esta escena, usted crea un vínculo entre esos buenos momentos en el pasado y los buenos tiempos que su presencia promete en su vida.

Llevar a su objetivo al límite puede ser emocionante, especialmente si es un límite establecido por valores sociales o profesionales. Compartir un secreto con el objetivo, descubrir sus pasiones secretas u ofrecer una oportunidad de sobrepasar los límites de una relación es tentador para la mayoría de la gente. ¿Recuerda cuando su mejor amigo de la infancia le pidió que le guardara un secreto? Pensar que confiaba en usted como para guardar este secreto le subió la autoestima y fue emocionante. El seductor sabe cómo sacar provecho de estos deseos.

Haga que su encanto sea multidimensional para su objetivo. En vez de concentrarse en el deseo sexual, por ejemplo, acceda al lado espiritual o creativo de su objetivo. De esta forma su objetivo no se siente inseguro sobre su apariencia o habilidades. En cambio, usted despierta su mente de una forma diferente.

Crear una razón moral para sus esfuerzos de seducción también disipa inseguridades. Esto transforma la relación que está estableciendo en una de varios niveles. Usted está involucrado en aspectos de la vida del objetivo, dando más propósito a su atención e interés.

Mezcle sus interacciones. Ser demasiado educado, demasiado atento y demasiado previsible es contraproducente. En la seducción, el objetivo no puede estar demasiado confiado en su importancia para usted. Incluso llegar tan lejos como para romper con ellos puede estimular su concentración en usted.

En vez de halagarle, sea cortante. En vez de una conversación amable, suelte alguna palabrota. Haga algo para sacudir los cimientos de lo que el objetivo espera. En realidad, nadie es educado 24 horas al día, siete días a la semana. La gente se cansa. La gente se siente abrumada. Cuando esto pasa, las conversaciones son mucho más directas y a menudo, antagónicas. Un cambio de tono hace el escenario que ha creado más realista para el objetivo.

En algún momento en la seducción, el objetivo se acostumbrará a usted. Puede que sus esfuerzos para mantenerle interesado disminuyan. Este es el momento de hacerse el duro. Dé un paso atrás en la situación, indique que está considerando pasar página, que la relación parece que se está agotando. Solo pensar que pueda perderle volverá a avivar su deseo de estar con usted.

Se puede usar la misma técnica para negociar un aumento de sueldo o comprar un nuevo coche. Decirle a su jefe que está considerando una oferta para un puesto en una firma rival puede impulsarle a aprobar ese aumento de sueldo. Decirle al vendedor de coches que se ha pasado las últimas dos horas intentando que diga sí a un acuerdo que le está proponiendo que está considerando una oferta de otro concesionario, puede ser el incentivo que el vendedor necesita para aprobar el trato que usted quiere.

Mantenga las cosas interesantes estando siempre a tope. Cultive el sentido de seguridad del objetivo mientras que le mantiene estimulado. Haga lo que pueda para deshacerse de todas sus dudas sobre sus intenciones. Al mismo tiempo, haga que el objetivo le desee. Mantenga las apariencias externas a la altura de las expectativas y continúe acumulando su encanto.

A estas alturas, usted tiene a su objetivo donde quiere. Ahora es el momento de manifestar sus intenciones. Dé el paso y haga que valga la pena. No le dé la oportunidad a su objetivo de dudar. Todas sus acciones hasta este momento se han concentrado en convencer a su objetivo de que todo gira alrededor de este. Ahora es el momento de que gire alrededor de usted y de la meta que se ha propuesto.

El resultado de la seducción puede ser delicado. Las emociones han sido intensas y el futuro es incierto. El seductor puede decidir acabar la relación, dejando, por tanto, al objetivo confundido y disgustado. Si el seductor decide continuar con la relación, partes del proceso de seducción probablemente tengan que volver a ponerse en juego para aumentar la energía que mueve la meta de la seducción.

Los secretos de la seducción ofrecen información de los complicados juegos mentales que ocurren cuando una persona intenta controlar a otra. La base de estas técnicas puede usarse fuera de las relaciones personales. Se puede aplicar a los negocios, algunas de las cuales han sido discutidas aquí, que pueden ayudar a una persona a conseguir lo que quiere en un entorno profesional.

Como otras formas de persuasión, la seducción empieza despacio forjando una familiaridad con el objetivo. A diferencia de otras formas, la seducción puede ser un proceso largo e interminable con muchas idas y venidas. Las consecuencias para aquellos que caen en esta red son probablemente muy dolorosas y causan angustia emocional.

Capítulo 8: Lo que necesita entender sobre la conducta humana y la psicología oscura

Algunos psicólogos creen que todo el mundo tiene la capacidad de acceder al lado oscuro de su personalidad, el lado que opera sin estándares morales o éticos y toma decisiones no según la razón sino por satisfacción y beneficio personal, o placer entre otras razones menos nobles. La mayoría de las personas controlan estas tendencias, otros deciden actuar.

La psicología oscura es la ciencia de la manipulación y el control mental, especialmente porque se aplica a gente que usa tácticas de persuasión, control mental, manipulación y extorsión en beneficio propio. Es el estudio de aquellos que abusan de otros, normalmente de forma malévola o, a veces, criminal.

Cuando estas se manifiestan, especialmente en aquellos para los que su lado oscuro es su lado normal, rasgos como la insensibilidad, ser muy manipulador, impulsivo y pomposo son comunes entre aquellos que operan en esta frontera. Para estos individuos, la persuasión es un medio para sus fines, y la gente incauta cae en sus trampas.

Varios individuos infames vienen a la mente cuando se habla sobre la psicología oscura.

Charles Manson es uno de esos que usaron los conceptos de manipulación para orquestar un asesinato. Está considerado un psicópata. A estos individuos a menudo se les considera encantadores, amables y con carisma. También son impulsivos, egoístas, no tienen empatía y no sienten remordimientos por sus actos.

Bernie Madoff fue condenado por una estafa para sacarle dinero a la gente. En la psicología oscura, se le clasificaría como maquiavélico, designado así por Niccolò Machiavelli, un diplomático y escritor del Renacimiento italiano nacido en 1469. Está acusado de influir la mano dura y ataques a los hugonotes en Francia por el gobierno francés. Una persona u organización que lleva la etiqueta de maquiavélica es hábil usando la manipulación para beneficios engañosos y explotadores.

Muchas estrellas del entretenimiento y deportes son de naturaleza narcisista, otra de las características de la personalidad oscura. Los narcisisitas tienen una opinión excesiva de sí mismos, se les considera fanfarrones y exigen atención. Piense en esas personas que tienen que ser el centro de atención, aquellos a los que se les puede considerar divas y aquellos que le dicen a todo el mundo lo especiales que son.

Al maquiavelismo, psicopatía y narcisismo a menudo se les refiere como la triada oscura, un término usado como una advertencia de comportamiento criminal igual que una relación problemática con otros.

Sin embargo, las tácticas usadas en la psicología oscura no se reservan solo para el elemento criminal en la sociedad. Estos métodos de manipulación también se usan para vender productos y servicios, ganar unas elecciones, conseguir estatus social e incluso por familiares para conseguir lo que quieren. La gente que se quiere sentir superior a otra, aquellos que se aprovechan de otros, aquellos que valoran ganar por encima de todo y aquellos que abusan de las emociones de la gente son ejemplos de cómo la psicología oscura se manifiesta en la vida diaria.

Un libro escrito por Robert Greene, *Las 48 leyes del poder*, sirve como una especie de manual técnico sobre las técnicas de manipulación usadas en la psicología oscura. Identificó formas en las que la gente puede manipular a otros para conseguir poder. Estas formas son perturbadoras porque se mueven fuera del espectro moral. Igualmente, estas tácticas las usa gente y organizaciones para controlar y persuadir.

La primera de estas es "nunca eclipse al maestro". Conseguir que aquellos responsables se sientan superiores es una forma de manipular la situación en beneficio de la persona. Les sube la moral a aquellos que están en una posición de autoridad y alabar a alguien es una forma de llamar su atención.

Otra de las leyes de Greene es no confiar demasiado en sus amigos, especialmente en el lugar de trabajo, y aprender a usar a sus enemigos. Los amigos no serán tan leales como un enemigo, que tiene mucho que demostrar, según Greene. Aconseja considerar quién puede servirle mejor a sus intereses para conseguir sus metas y no dejar que la lealtad o amistad nublen su decisión.

Para manipular y obtener poder sobre otros, un manipulador debería confundir, distraer y retener información conocida por este. La idea es asegurarse de que la gente no sepa con seguridad lo que usted sabe o lo que puede hacer. Una vez se conocen sus aspiraciones, la gente pierde el poder sobre otros. Han descubierto su tapadera. En esta misma línea está el consejo de decir menos de lo necesario. No les dé a otros la información que necesita para alcanzar sus metas. Siempre practique el arte del engaño.

Otra forma en la que se usa la psicología oscura es para que los manipuladores protejan su reputación, pero intentarán usar las transgresiones de otros contra ellos. Anticipar ataques potenciales contra su credibilidad es primero y sobre todo la forma de proteger su reputación, y, por tanto, su prestigio en los ojos de otros. Sea escrupuloso a la hora de destapar los tropiezos de sus enemigos y deje que la opinión pública desmantele su reputación.

Cuando vaya a por un rival o enemigo, asegúrese de aniquilar su reputación y estatus. Siga presionándoles para erosionar su confianza, espíritu, salud y bienestar. Alguien que está completamente devastado tendrá menos oportunidades de obstaculizarle en el futuro.

La atención siempre debería concentrarse en usted. No se pierda entre la muchedumbre. No se funda. Llame la atención, pero no desvele demasiada información sobre usted de golpe. Aprenda cuándo desaparecer de la vida de una persona, grupo u organización. El dicho *la ausencia hace crecer el cariño* es apropiado para esta táctica de la psicología oscura. Asegure su presencia en el grupo o persona amada y después desaparezca del mapa por un tiempo. Será de nuevo el centro de interés y el foco de la discusión. Igual que la escasez puede subir el valor y necesidad de un artículo, lo mismo se puede conseguir con usted.

La gente gravitará hacia la persona que se lleva la atención, lo que aumenta su prestigio. Haga que la gente acuda a usted para obtener consejo, ayuda, información o cualquier otra razón que le convierta en la autoridad. Al forzar a otros a actuar, o seduciendo a sus enemigos para que le busquen, usted tiene el control. Ponga a la gente en terrenos no familiares para ejercer su influencia sobre ellos.

Use a otra gente para completar el trabajo que se le ha asignado y después llévese el mérito por un trabajo bien hecho. Al hacer esto, usted consigue reconocimiento sin tener que hacer el trabajo. No apele a su misericordia para conseguir que otros hagan su trabajo. Apele siempre a su propio interés.

Dé otras opciones, pero asegúrese de que estas son las que usted quiere que escojan.

Por ejemplo, tienen la opción de darles más autoridad o intentar alcanzar sus metas sin usted. Asegúrese de tener el poder sin importar la situación, pero hágales creer que tienen elección. Si dudan, aumente los términos del acuerdo. Cada día perdido significa más dinero que pagar o concesiones que hacer.

Si comete un error, no lo admita. Culpe a otro por ello. Evite reproches, oculte su error y no aparente que deja que le molesta un error.

Consiga que la gente dependa de usted, haga su presencia en sus vidas incalculable, y sea la razón de su felicidad. Esto asegura su independencia y libertad para hacer lo que quiera.

Siga concentrado en sus intereses y metas y rechace la presión a comprometerse con una persona o causa. Al mantener su independencia, la gente le perseguirá y manipulará a otros para conseguir que se comprometa con ellos. Hágase el duro para aumentar el respeto.

No le desvele a nadie los trucos que usa para conseguir el éxito. Aparente que su éxito está chupado, como si fuese muy fácil conseguirlo sin el mayor problema. Debería parecer natural y que no hay nada de trabajo duro implicado en este éxito.

Evite a gente infeliz o aquellos desafortunados. No deje que las emociones de otros nublen su juicio. Siga desconectado de todo aquel que no pueda contribuir a su estatus de poder. No se cierre en banda de aquellos que pueden amenazar su posición en el poder. Es mejor estar ahí fuera recogiendo información que ser vulnerable a lo desconocido.

Genere un grupo de personas que crean en usted utilizando características de las sectas. Sea vago sobre quién es usted, pero deles algo en lo que creer. Use palabras y acciones imprecisas, pero genere emociones vinculadas a los deseos de las personas para creer y tener fe. Vaya con emoción y apoyo en vez de racionalizaciones.

Tenga rituales y requiera sacrificios. Juegue con los escenarios de *nosotros contra ellos*.

Arrastre a gente a su poder demoliéndoles. Trabaje con sus rasgos de personalidad, miedos y debilidades para tenerles bajo control. Use la dulzura para evitar su resentimiento y odio, pero continúe socavándoles hasta que se conviertan en simpatizantes y estén dispuestos a hacer lo que quiere que hagan.

Preséntese de la forma en la que quiera que le traten, igual que hace la realeza cuando entra en una sala o el ponente principal cuando le llaman al escenario en una conferencia. Hágase destacar de forma positiva. Actúe con confianza, respétese y cree la ilusión de su grandeza. Admita pequeños defectos. No intente parecer perfecto. Comparta pensamientos y defectos para que le vean accesible.

Juegue con la percepción que cada persona tiene de sí mismo. Ayúdeles a encontrar alguien o algo que culpar. Explotar las fantasías de la víctima aumenta su poder sobre ellos y su habilidad para controlar lo que dicen y hacen.

Encuentre sus debilidades y explótelas. Inseguridad, emociones que están fuera de control, o un vicio que se mantiene en secreto son las comunes. Preste atención a lo que dicen, cómo actúan en varias situaciones, y las cosas que comparten con usted. Indague en su pasado para ir derecho a las señales que puedan conducirle hasta estas debilidades. Si no pueden controlar sus emociones, use esto en su beneficio. Si se entregan a vicios o placeres culpables, encuentre formas de exponer sus vulnerabilidades.

Use la honestidad de forma selectiva y como medio para desarmar a otros de sus percepciones de usted. Un acto desinteresado ocasional supera cualquier acto cruel que haya podido cometer antes. Desequilibra a la gente y les hace cuestionarse la opinión que tienen de usted. Cuando bajan la guardia, puede entonces presentarse como un amigo, pero úselos para obtener información o poder.

Sea impredecible cuando pueda aprovecharse de ello. Usted no quiere que otros reconozcan patrones de comportamiento. Esto protege su control y su poder. Mantener a la gente dudando y esforzándose por conseguir una explicación les debilita y les hace más susceptibles a sus sugerencias y exigencias.

Cree el personaje que quiere ser. No deje que las opiniones de otros determinen cuál debería ser su rol. Reclame su poder y aspire a perfeccionar este personaje. Recuerde apreciar sus acciones y cómo se presenta como parte de la estratagema general, igual que un actor interpretando un papel. Acoja e incorpore los aspectos de poder en sus habilidades sociales y relaciones interpersonales.

Si no puede ganar, ríndase. La decisión de retirarse es inquietante para su oponente. La naturaleza humana invita a responder un acto de agresión con otro acto de agresión. Escoger rendirse o pasar página le da tiempo para tomar represalias más tarde, y con mucha más fuerza.

La imitación puede ser una forma de adulación, pero para una persona que está buscando control o poder, es exasperante. Use esta táctica para desquiciar a sus enemigos y que reaccionen exageradamente. También puede convencerles de que tienen los mismos valores, lo que hace que bajen la guardia y lo cual abre la puerta a sus intentos de manipulación.

Use tácticas para meter cizaña sin tener que ser absorbido al drama. No muestre ira o emoción y en cambio irrite a sus enemigos. Deje que sus emociones se apoderen de ellos para que ellos mismos dañen su imagen.

Cuando pase a la acción, hágalo con valentía. Consiga que otros crean que usted confía en sus decisiones y no dude una vez se haya involucrado en la acción o mentira. Deje que su valentía continúe distrayendo. Dese cuenta de que un objetivo mayor conlleva una recompensa mayor para usted.

Vuélvase un experto en escoger a sus víctimas. No todo el mundo reaccionará de la misma manera. Aprenda sus patrones de comportamiento y modifique sus enfoques. Tenga cuidado de no ofender a la persona equivocada, aquella que pueda ayudarle a conseguir el poder que usted anhela. Infle el ego de su víctima para esconder sus intenciones y desarmar sus mecanismos de autoprotección.

No se crea los intentos de persuadirle con favores o regalos. No acepte regalos para evitar la necesidad de expresar gratitud. Sea generoso para alcanzar el poder y saque provecho de los sentimientos de gratitud y obligación de otros.

Puede que la paciencia sea una virtud, pero también es una herramienta para planificar sus acciones. Tómese su tiempo para establecerse en el juego, espere al momento adecuado para actuar, y recoja información pacientemente para conseguir una ventaja.

Introduzca cambios despacio. Siempre haga que parezca que es una mejora o que beneficia a otros de alguna manera. Indique que respeta las formas tradicionales e introduzca cambios poco a poco.

Establezca como objetivo a aquellos que pueden estar influyendo a otros en contra de sus metas. Líbrese de la oposición, y aquellos que están en ese lado no tendrán sitio al que ir. Identifique a los alborotadores, por ejemplo, aquellos que están tristes, insatisfechos o a disgusto. No deje que su descontento afecte a los otros. Advierta a otros de quién es el problema y deje que otros se encarguen de deshacerse del problema.

Aprenda a jugar al juego. Halague de vez en cuando para que parezca sincero. Cambie su mensaje y lenguaje según la persona con la que está lidiando en ese momento. Busque el foco de atención. No comparta información negativa. Despreocúpese del tema entre manos. No trate de obtener favores de su jefe. Mantenga sus emociones bajo control y actúe con restricciones en grupo.

Bajo ninguna circunstancia, comparta sus pensamientos sobre sus metas o sus planes para alcanzarlas. Sea complaciente. Reafirme sus opiniones e intégrese con los demás cuando sea necesario. No deje que la gente piense que usted necesita su atención o que usted es superior a ellos. Piénselo, pero no lo revele.

Si algo está fuera de su alcance o influencia, ignórelo. Si algo le irrita, ignórelo. Si alguien intenta usurpar su autoridad, ignórelo. Cuando ignora algo o a alguien, trivializa su importancia. La gente no protege lo que es trivial, de manera que abre la puerta para conseguir lo que usted quiere.

Haga que cada acción sea impresionante. Cuanto más extravagante, mejor; cuanto más sensacional, más poder conseguirá. Asegúrese de que lo que exhibe asombra a todos alrededor y mejora su posición en el círculo.

Asegúrese de que sigue planeando su estratagema hasta el final, y ahí es cuando gana. Use planes a largo plazo para mantener el objetivo en mente y crear los escenarios que le posicionarán más cerca del final. Recuerde ser estratégico y planificar cada paso. Planificar le da confianza y evita que le pillen por sorpresa. Considere los "y si" y adáptese como corresponde.

Planifique un rumbo original, no uno que alguien más haya intentado. Es difícil conseguir respeto cuando simplemente repite lo que otros han hecho. Encuentre su propio camino y cambie el foco hacia usted y no su predecesor.

No comparta el plan con nadie. No divulgue sus metas o motivos que está usando para llegar al final. Sea flexible y cambie de dirección cuando lo necesite. Siga avanzando hacia su meta de formas impredecibles.

Cuando alcance la meta que se marca, esté preparado para parar. Continuar presionando puede crear descontento. Acepte la victoria.

Muchas de estas leyes de poder probablemente ya hayan sido usadas en cierta medida por todo el mundo. Puede que incluso usted se haya reconocido o a otra persona cuando estas se explicaban.

¿Alguna vez le ha hecho un cumplido a alguien, comprado un regalo, o hecho una tarea especial para que acepten su petición? Eso se identifica como inundación de amor. ¿Alguna vez ha dicho una falsedad, una pequeña mentira piadosa o incluso una mentira para salir del paso? ¿Alguna vez ha pasado de alguien que le importaba como castigo por algo que dijeron o hicieron? Eso es negación de amor. ¿Y retirarle la palabra a alguien? Eso es retirar. ¿Alguna vez ha ofrecido opciones a alguien, pero solo ha presentado las mejores para usted? Eso es restricción de elecciones. ¿Alguna vez ha usado psicología inversa?

Todas estas son formas comunes de influir a otros usando elementos de la psicología oscura.

Mientras que muchas de las tácticas de atracción de poder identificadas por Greene ocurren por interacciones rutinarias en situaciones sociales o de negocios, el mundo online es un campo de batalla. Los cibercriminales usan estas tácticas para conseguir lo que quieren: acceso a información personal para cometer suplantación de identidad o robar dinero y afecto de gente vulnerable y solitaria. Los ciberterroristas y aquellos con agenda política también ganan cuando usan estas metodologías para conseguir controlar, explotar, acosar y manipular a sus víctimas.

Entender las maneras en las que la gente consigue poder y aceptación le pone en control cuando la psicología oscura está siendo usada contra usted o para evitar que use estas técnicas contra otros. Para protegerse y evitar que sus esfuerzos de persuasión se pasen de la raya, evalúe la situación y la persona y determine cuál será el beneficio y cuál es su meta en esta situación. Determine si las tácticas que está usando le hacen sentir bien, honestamente y sin culpabilidad. Cuestione si habrá beneficios a largo plazo como resultado de esta interacción. Determine si hay otras formas de conseguir el resultado que necesita sin comprometer su ética.

166

Capítulo 9: Técnicas poderosas de PNL que pueden usarse para fines manipuladores

La programación neurolingüística, conocida como PNL, es una práctica de manipulación que usa la comunicación verbal y escrita para influir en la toma de decisiones de una persona. Teniendo en cuenta los componentes del nombre de la terapia, es una forma de comunicar con la mente. Considerada como algo similar a la hipnosis, los significados y direcciones se introducen por niveles en el discurso para que la mente inconsciente los capte.

Es muy fácil malinterpretar conversaciones que ocurren entre dos personas que hablan el mismo idioma. Es más difícil si uno habla con fluidez un idioma y la otra habla con fluidez otro idioma. Lo mismo pasa cuando la parte del cerebro de toma de decisiones se comunica con la parte que regula las emociones y la zona donde se almacenan los recuerdos. Todas estas áreas del cerebro tienen información que se usa para tomar decisiones. Conseguir que las tres áreas del cerebro hablen el mismo idioma puede ser difícil. La PNL dice tener la respuesta.

La popularidad de la PNL fue formulada en los años 70 y ganó popularidad en los 80. Fue adoptada en las prácticas de psicoterapeutas y respaldada por famosos del momento. Todavía se usa hoy en día y ha sido investigada dentro de la comunidad de la PNL, pero la comunidad médica no ha respaldado su uso como terapia. Se usa para tratar fobias y desórdenes de ansiedad, al igual que constituye un método para abordar asuntos relacionados con el trabajo y problemas personales que afectan la salud, la felicidad y el bienestar. Ha habido algún uso de esta técnica para tratar el estrés post-traumático.

La PNL reclama que el usuario puede usar las técnicas para controlar emociones y pensamientos para conseguir la acción deseada. Cómo elige una persona responder a una situación sale de un diálogo interno de las emociones relacionado con la acción y pensamientos propuestos que pueden ser provocados por estar en una situación similar. Si tomar decisiones sobre elecciones de comida saludable es difícil para alguien, la PNL puede cambiar la forma en la que los pensamientos y emociones se comunican con la mente. Si las adicciones son un problema que afecta la habilidad de un individuo para vivir su vida al máximo, la PNL crea una estructura de comunicación que permite mejores elecciones.

Según los profesionales de la PNL, la mente consciente expone lo que quiere conseguir, como tomar mejores decisiones sobre comida, tener más confianza o dejar una adicción. La gente tiene una idea clara de lo que quieren conseguir, al igual que los pasos que tienen que dar para llegar hasta ahí. Esos pasos normalmente son una serie de decisiones que se requieren para progresar hasta alcanzar el objetivo.

Mientras que puede que todo esto esté claro para el individuo, el subconsciente no está transcribiendo el plan tal como la mente consciente lo dicta. En cambio, las emociones salen a la superficie relacionadas con los pasos necesarios, y los recuerdos y pensamientos almacenados dentro también saldrán a la superficie. El camino evidente que la mente consciente ha mapeado ahora está lleno de curvas y giros y callejones sin salida, gracias a la información enterrada en el subconsciente.

Para compensar esto, el individuo usa la PNL para crear los mecanismos de traducción que ignorarán las emociones y recuerdos que le desvían del plan. Implanta sugestiones que desplazan los elementos negativos del subconsciente relacionados con el problema y usa la dirección sustituida.

La PNL es una técnica que usa observaciones de las respuestas fisiológicas del cuerpo y del lenguaje usado para determinar cómo alterar la reacción del cerebro. Se puede hacer en una sesión bidireccional, pero las técnicas son lo suficientemente simples para que las use un individuo. Requiere aptitudes de observación excelentes y la habilidad de interpretar cambios, como movimiento ocular o patrones del habla.

Los profesionales de la PNL se concentran intensamente en la persona con la que están trabajando. El propósito de esta atención es descubrir pistas sobre cómo reacciona la persona. El profesional nota los movimientos oculares y la dilatación de las pupilas, movimientos nerviosos, y piel sonrojada y lo analiza para proporcionar información detallada sobre cómo responde el cerebro de una persona. De estas señales no verbales, el profesional determina si la persona usa su cerebro izquierdo o derecho más a menudo, cuál de sus cinco sentidos usa más y cómo almacena y usa información su cerebro y las señales que indican falsedad.

Los profesionales de la PNL tienen tanta práctica analizando estos sutiles cambios en el cuerpo que, en unos pocos minutos, pueden decir mucho sobre una persona simplemente por cómo mueve los ojos. Estas observaciones pueden decir cuando alguien está diciendo la verdad, se está inventando cosas y cómo procesa información esa persona. Armado con esta información, el profesional puede predecir cuál será la respuesta a sus preguntas.

Usando esta información, el profesional empieza a imitar las expresiones de la persona, movimientos corporales y patrones del habla. Este procedimiento está diseñado para que la persona sea más receptiva a las sugestiones y establecer puntos en común. Esto es importante para forjar una relación en la que la persona considera al profesional igual que ellos, estableciendo una conexión socialmente, lo que hace a la persona más abierta.

Formula cuidadosamente preguntas y declaraciones para responder al subconsciente de las personas. Saber cuál de los cinco sentidos usa más la persona permite al profesional usar frases que se refieran a este sentido, provocando su subconsciente para procesar la información o sugerencia.

Por ejemplo, alguien que favorece las referencias visuales responderá mejor a preguntas relacionadas con la visión. "¿Ve a lo que me refiero?", por ejemplo. Aquellos que responden más a apuntes relacionados con la audición se les darán preferiblemente frases como "le estoy escuchando atentamente".

Desde aquí, la manipulación empieza con el profesional cambiando cómo se presenta la información o se hacen preguntas. La persona empezará a seguir con el ejemplo del profesional y ajustar sus movimientos corporales y patrones de habla para imitarle. Al moverse en la dirección que el profesional quiere que vaya, es probable que la persona le siga, siempre y cuando no sea inapropiado. Parece que pasa de forma natural, pero las sugestiones están siendo controladas por el profesional.

Esto lo hace más fácil para el subconsciente al igual que la mente consciente para aceptar las sugestiones en vez de poner un muro. Estas sugestiones pueden realizarse para animar a comprar bienes o servicios, motivar a otros a donar a una organización caritativa, o tomar una decisión que se había dejado en segundo plano. Es una forma de traer cosas a la primera línea del proceso de pensamiento, incluso si esos pensamientos pueden ser considerados como inapropiados.

Una vez se haya implantado la sugestión, el siguiente paso supone asociarlo con una emoción, como la felicidad. A este paso se le llama suscitar. A esto le sigue el anclaje, donde se da una señal física para asociar con esa emoción. El objetivo es que cuando se experimente esa señal física, la persona sentirá la misma emoción que la primera vez.

Otras técnicas usadas por profesionales incluyen establecer el patrón del chasquido, que se explica como un cambio en el patrón del comportamiento de un resultado indeseado a uno deseado. Otra técnica se llama disociación visual o kinestésica. En esta técnica, los pensamientos y sentimientos negativos asociados con un evento pasado se eliminan del subconsciente a través de la PNL.

Usted puede controlar la influencia de alguien usando PNL en usted simplemente buscando las señas de esta técnica. ¿Está esa persona sentada en la silla de la misma manera que usted? ¿Se toca la frente cuando usted lo hace? Si usted mueve la mano, ¿hacen lo mismo?

Frustre los intentos de otros de observar cómo funciona su cerebro exagerando sus movimientos oculares y haciendo esfuerzos conscientes de mirar en direcciones diferentes. Mirar arriba, abajo, o a los lados de forma aleatoria confunde las observaciones. Todo intento debería realizarse para que parezca natural.

No le dé la oportunidad a alguien de anclar una emoción en usted. Esto es crítico si está experimentando emociones fuertes, como soledad o necedad. Una vez se haya provocado la emoción, el contacto físico en una parte de su cuerpo, como su mano o antebrazo asocia el contacto con la emoción. Para sacar de usted esa emoción de nuevo, el profesional simplemente necesita tocarle en el mismo punto.

Un ejemplo de cómo se puede usar esto es suscitar la emoción de felicidad y anclarla a un toque en el hombro derecho. La próxima vez que el manipulador le vea, simplemente intentará tocar su hombro, y usted responderá con el sentimiento de felicidad apropiado. Cuando está feliz, puede que esté más dispuesto a comprar algo. Por otro lado, si ha suscitado y anclado tristeza, puede que le convenzan para tomar una decisión que usted crea que le va a hacer feliz. La gente toma decisiones basadas en su estado de ánimo y emociones todo el tiempo.

También debe buscar señales en el lenguaje.

La PNL usa lenguaje no amenazador o fácilmente ignorado. Se puede usar una palabra difusa para sumir a alguien en un estado pseudohipnótico al igual que sacarle de un trance. Cuanto más ambiguo sea el significado, mejor. Palabras como cambio, por ejemplo, pueden recibir nuevos significados cuando se usan como parte de una terapia de PNL.

El lenguaje puede incluir también frases que parece que dan permiso para hacer algo. Darle permiso a alguien para hacer algo es una forma eficaz para que obedezcan. Piense en un vendedor de coches que le dice que está permitido sacar el coche para probarlo. Sospeche de cualquier declaración que parezca darle rienda suelta para disfrutar o experimentar algo.

Los profesionales también usan lenguaje que pueda sonar confuso en un intento de ganar acceso a su subconsciente. Puede incluir imágenes vívidas y frases inconexas y aparentemente sin relación. Pregunte qué significan. Consiga que le expliquen lo que quieren que haga sin usar frases vagas o jerga psicológica.

Escuche atentamente a las declaraciones realizadas por los profesionales de la PNL. A menudo se incluyen palabras extra que contienen mensajes para el subconsciente. Planteado de forma que no sea siempre obvio para la persona, una o varias palabras pueden demostrar un motivo oculto. El profesional no tiene la intención de que su mente consciente se dé cuenta de estas sugerencias subliminales, de hecho, cuentan con la forma en la que funciona el cerebro para que automáticamente pase por alto las palabras añadidas. La mente subconsciente, sin embargo, escuchará todas las palabras según se dicen. ¿Alguna vez ha leído un párrafo y se ha saltado palabras? Cuando vuelve a leerlo, las palabras son obvias para usted. Esto pasa a menudo cuando está editando un documento que escribió. Sabe cómo se debe leer, de manera que, si faltan palabras o hay de más, su mente lo corrige.

Siga en el presente. Los profesionales de la PNL verán la falta de atención como una entrada a su subconsciente. Si no presta atención a lo que están haciendo y diciendo, no será capaz de resistirse a sus sugestiones subconscientes. Seguir atento y no bajar la guardia son las mejores formas de bloquear una sugestión no deseada.

Niéguese a tomar una decisión si se siente presionado para hacerlo. Dese tiempo para revisar la información y tomar una decisión al día siguiente o incluso más tarde, si fuera necesario. Las técnicas de PNL funcionan de forma muy eficaz en compras impulsivas debido al elemento emocional que usan estas técnicas.

Algunos usuarios de la PNL pueden crear cambios a largo plazo en sus procesos de pensamientos versus acciones, pero para hacer esto pueden ser necesarias múltiples programaciones. La raíz del problema tiene que ser identificada, igual que cualquiera de los recuerdos, experiencias o estímulos que provocan que el problema resurja. La mayoría de las personas que usan esta técnica declaran una mejoría a corto plazo.

Entender lo básico de la PNL puede ser útil para determinar la conexión consciente-subconsciente que le ocurre a alguien al que está intentando influir. De hecho, otros métodos de control mental dependen de observar el lenguaje corporal, movimientos oculares y otros cambios para determinar el estado de ánimo y si alguien es receptivo a los intereses del manipulador o no.

Otra de las técnicas de la PNL que es parte de otros métodos de persuasión es la imitación corporal. Cuando alguien imita la forma en la que la otra persona se sienta, mueve las manos u otros gestos físicos, establece una conexión. Esa conexión comunica un punto en común entre ambas personas. Para establecer la conexión necesaria para empezar el proceso de persuasión, encontrar similitudes es clave. Cuando una persona actúa como usted, el subconsciente toma nota y reconoce cosas en común.

Para asegurar una buena manipulación de la toma de decisión de una persona, use las herramientas que tenga disponibles. Variar su estrategia es una forma inteligente de abordar las diferencias entre un objetivo y otro. No todo el mundo responde a las mismas técnicas y, cuanto más sepa, más eficaz será.

Capítulo 10: Técnicas muy eficaces de control mental

Un término que viene a la mente cuando se discute el control mental es *lavar el cerebro*. La definición de este término es adoctrinamiento forzado para inducir a alguien a abandonar sus creencias y actitudes políticas, sociales o religiosas básicas y aceptar ideas reglamentadas contrarias. Está más asociado con el uso militar y el adoctrinamiento en sectas.

Lavar el cerebro, como otras técnicas de manipulación mental, usa conocimientos psicológicos para jugar con la mente humana. Esto pasa con alguna forma de extorsión, ya sea directa o indirectamente. Por ejemplo, la amenaza de torturar a prisioneros de guerra era una táctica que desgastaba la fuerza y resistencia del cuerpo y la mente. Sin embargo, la coacción se puede manifestar de forma sutil, según el manipulador va adentrándose en la psique de la víctima.

Las técnicas de control mental ocurren a su alrededor todos los días. El colegio, su lugar de trabajo, su grupo de iguales, el ejército y las religiones, todos usan alguna forma de manipulación para conseguir cohesión. La publicidad utiliza estas técnicas para aumentar las ventas, los expertos políticos las utilizan para conseguir votos y los gobiernos las usan para controlar a sus ciudadanos. Algunas de las razones para usar el control mental son de naturaleza ética, simplemente usando conocimientos psicológicos para motivar el comportamiento humano en una dirección positiva. Otras razones son retorcidas y negativas, con el objetivo de controlar las acciones de otros por beneficio personal o placer.

Es un proceso utilizado por sectas y cultos religiosos con el propósito de atraer a nuevos miembros, retener seguidores y mantener el control. A diferencia de los prisioneros de guerra que están sometidos a intensos métodos de control mental, la mayoría de estas técnicas son dirigidas por alguien que la víctima conoce y en la que confía. Puede ser un miembro de la familia que se ha unido a un grupo religioso, un líder espiritual que está buscando poder y dominación, o cualquier persona que quiere controlar las decisiones que tomará otra persona.

Un ejemplo de control mental que es una preocupación actual es el uso de estas técnicas por grupos extremistas, como ISIS o la hermandad de Aryan. Los puntos de vista extremos de organizaciones como estas y otras organizaciones consideradas como terroristas deberían ser una señal de advertencia para víctimas ignorantes, pero la conversión a su forma de pensar no ocurre de golpe.

A diferencia de lavar el cerebro cuando una víctima es secuestrada y sometida a tortura mental y física, las técnicas de control mental usadas por ISIS funcionan bajo la ilusión de que el objetivo tenía elección. Racionalmente, ese no es el caso, pero el adoctrinamiento gradual a la causa proporciona esa percepción. El objetivo inicial es calentar a la víctima y darle la sensación de pertenencia a un grupo que le dice a la víctima que la entienden.

Una vez la víctima está lo suficientemente inmersa en la retórica, el control se vuelve más serio con amenazas de daño y violencia física dirigida a los reclutas o sus familias.

Según un experto que experimentó control mental como parte de una secta, a la gente a la que se está reclutando se les vende una ilusión. A veces, esa ilusión es arreglar los problemas más devastadores del mundo, como la pobreza, el hambre, o acabar con la guerra. Otros extremistas encuentran otras causas nobles para decir que están trabajando en ello, incluida la iluminación religiosa.

Usar métodos como aislar al recluta de su familia o amigos, y someterle a propaganda y promesas de realización, provoca que el sentido básico de realidad del recluta se altere. El recluta piensa, reacciona y se comporta como los otros miembros del grupo. Alguien que puede que nunca haya pensado en cometer un acto violento antes del adoctrinamiento ahora celebra la violencia de la que participa. Según un exmiembro de una secta, en este punto, el recluta ha separado la realidad de la fantasía que le han cebado los extremistas. En vez de verse a sí mismos dañando a una persona, ven a esa persona como el diablo u otro enemigo.

Las organizaciones de supremacía blanca operan de forma similar. Dominados por el miedo de que las minorías les roben sus estatus en la sociedad, buscan a aquellos que tienen las mismas creencias. Lo ven como supervivencia, parecido a la perspectiva extremista de ISIS, que defiende una mentalidad de "nosotros contra ellos". Su arenga de reclutamiento es el victimismo, que apela a miembros potenciales con los mismos miedos y aquellos que son atraídos a la causa.

La clave para reclutar con éxito para organizaciones extremistas es encontrar la víctima adecuada y emparejarla con el manipulador adecuado. Cualquiera que sea el reclamo del reclutamiento, ya sea curiosidad, recomendación de un amigo o apelar a un miedo irracional o necesidad de venganza, una vez se identifica al recluta, el proceso comienza.

A la gente se la engaña para que confíen y pongan su bienestar mental bajo el control de alguien cuyos motivos pueden ser sospechosos, aunque no se asocie el control mental con un grupo extremista. Estos métodos de control mental están en práctica de una multitud de formas.

Métodos simples para conseguir que alguien diga sí a una nueva casa o comprar un par de zapatos de diseño no son necesariamente un problema para la mayoría de la gente. Cuando el control mental va más allá de una simple venta o acuerdo, puede ser perjudicial para la víctima.

Algunos individuos peligrosos usan el control mental en víctimas potenciales. Criminales, como los psicópatas, son hábiles manipulando. Sin embargo, muchos de los que abusan de otros están mucho más cerca de lo que podría pensar, como una pareja controladora, un cónyuge celoso o alguien que es verbalmente abusivo o incluso un jefe duro y estricto.

El control mental altera la identidad fundamental de una persona, cambiando y alterando sus creencias, valores, preferencias y otros elementos que forman su persona. Permite a un individuo o grupo afectar su proceso de toma de decisiones. Puede ser terapéutico cuando se usa en recuperación de adicciones y otras condiciones psicológicas. Pero también puede ser peligroso cuando se usa para trastocar la moralidad y ética de la persona que es manipulada.

El proceso para alterar la forma en la que alguien piensa o reacciona a menudo se hace furtivamente, sin el consentimiento o conocimiento de la persona. Lleva tiempo y puede implicar varias técnicas. Es una serie de cambios pequeños, y la víctima a menudo está convencida de que los cambios están pasando debido a sus propias decisiones. A veces el manipulador es un amigo o miembro familiar, o puede ser alguien que la víctima no conoce.

La hipnosis es una técnica usada para cambiar el comportamiento. Con una terapia establecida, mucha gente la usa para cambiar su comportamiento, como dejar de fumar o perder peso. Bajo la hipnosis, se le dice a la persona que se relaje hasta un estado en el que se pueden implementar sugestiones para cambiar las decisiones que toman que están alterando sus vidas. Parecido a la meditación, el estado de relajación puede ser conseguido con música repetitiva, inflexiones de voz, patrones de habla y factores medioambientales como rayos o temperatura ambiente.

El control mental también pasa como respuesta a la presión social. Ser parte de un grupo afecta a la apariencia exterior, como lo que lleva una persona o la presencia de un tatuaje particular. También afecta a lo que podría ser considerado aceptable, juzgado por los estándares del grupo social en vez de la sociedad en general. Aquellos que sienten presión de sus iguales pueden actuar de formas que van en contra de sus creencias fundamentales, simplemente porque el impulso de pertenecer a un grupo supera su conciencia.

La mentalidad de rebaño es una reacción similar a la de la presión social. En este caso, sin embargo, se trata menos sobre ser parte de un grupo con demografía similar, y más con seguir a los demás.

La manipulación de la mente puede suponer uno o más métodos y, dependiendo del objetivo final para el manipulador, puede tener una conexión emocional profunda entre ambas partes. El proceso implica descubrir lo que quiere la víctima y usarlo para obtener el control.

Por ejemplo, el *love bombing* es un término que se refiere a infundir un sentimiento de familia a través del contacto físico, un vínculo emocional y compartir pensamientos y sentimientos. Alguien que anhela una conexión familiar fuerte se sentirá atraído por alguien que promete esto, y el reclamo de esto es la forma de señalar a la víctima.

Alguien que está sufriendo control mental puede estar sometido a varias técnicas al mismo tiempo. Puede que se les anime a rechazar valores viejos y a aceptar un nuevo sistema de creencias rechazando su espiritualidad antigua. A menudo, puede que no se les dé ninguna privacidad, que se les despoje de su habilidad para razonar y tomar decisiones por sí solos. Otra técnica puede ser aislar a la persona, a menudo de amigos o familia o cualquier interacción con otra persona. Los sentimientos de soledad y la necesidad de contacto humano pueden cambiar la dinámica entre una víctima y su manipulador.

El respeto estricto de las reglas y una forma de vivir determinada también es un método para controlar a un individuo. Al concentrarse en ajustarse a las normas, la elección individual está fuera del mapa. En cambio, lo que es bueno para todos es bueno para uno. La forma en la que estos controles se implementan incluye forzar reglas inquebrantables, como cuándo comer, rezar y dormir, requerir unas normas de etiqueta, corear o cantar de modo uniforme como mandan los líderes, y controlar a través de la culpa o el miedo.

A veces los métodos de control físico se ponen en práctica para que la gente cumpla las normas. El abuso verbal y físico son ejemplos de esta práctica. La falta de sueño y forzar la fatiga mental y física resulta en confusión y aumento de vulnerabilidad. La inanición o cambios en la dieta pueden alterar el cuerpo, debilitar la fortaleza física y mental y aumentar la reacción emocional de la persona. También se pueden utilizar las drogas para conseguir que se cumplan y acepten las reglas que el manipulador quiere.

Con estos métodos más drásticos de control mental, el propósito es romper la fortaleza mental de la víctima dejándole más propenso a sugestiones o control. Este colapso nervioso puede llevar a la reeducación, donde a la víctima se le prepara para ser parte de un grupo.

La repetición es un ejemplo. Esto supone revisar información hasta que la víctima se lo sabe de memoria y puede recitarlo. Esto se puede ver en sectas y grupos religiosos. Mantener a las víctimas involucradas y activas en el grupo evita que la persona sea capaz de renovar su decisión. Funciona de forma similar a negarle a alguien su privacidad. Asegurándose de que la víctima se siente humillada y avergonzada sobre sus decisiones y estilo de vida pasada también son una parte importante de reentrenar a un individuo para ser parte del grupo.

Sin embargo, las sectas y otros grupos no son los únicos manipuladores que usan técnicas de control mental. Todo el mundo puede ser víctima de criminales y depredadores. En vez de evocar un cambio de estilo de vida o una alteración del sistema de creencias, los depredadores buscan controlar a su víctima ganando su confianza y manipulando cómo se siente la víctima. Los predadores buscan víctimas que sean vulnerables de alguna forma, como estando distraídas, sintiéndose solas o afligidas por una pérdida. Una persona con baja autoestima, alguien que ha vivido una vida recluida, alguien que es pasivo, y alguien que es fácil de complacer, son candidatos ideales para un predador.

Un depredador elige sus acciones con cuidado. El propósito es mantener a la víctima confundida e interesada. Mentir, esconder detalles de la vida secreta del depredador, y sufrir frecuentes cambios de humor está todo diseñado para crear incertidumbre en la víctima.

Un manipulador predatorio concederá muestras de amor y después, de repente, romperá la relación. Se quejarán de la víctima, gritarán, la ignorarán, o abusarán de la víctima física o mentalmente.

El depredador negará todo de lo que les acuse, igual que invertir la realidad para hacer que ellos parezcan las víctimas y que están siendo acusados falsamente. Le quitarán importancia a lo que hacen y culparán a la víctima por reaccionar de forma exagerada. A veces el depredador buscará compasión pretendiendo ser la víctima o acusará de forma agresiva a la víctima de la ofensa. Dar regalos, alabar a la víctima y poner en marcha su encanto son todo formas en las que el depredador mantiene a la víctima vulnerable.

Una víctima nunca sabrá por completo dónde encaja en el mundo del depredador. Criticar abiertamente a la víctima en frente de otros y hacer que la otra persona se sienta culpable se usan para erosionar la autoestima de la víctima.

Aunque los depredadores no lo usan a menudo, la culpa puede ser una forma poderosa de controlar, no solo el proceso de pensamiento de alguien, sino también sus acciones. La culpa, que viene de quebrantar la ley o vergüenza originada por romper las tradiciones sociales, son formas muy poderosas de influir.

La culpa es una emoción que resulta cuando una persona hace algo que sabe que no debería hacer, como mentir a un jefe sobre estar enfermo, abortar en contra de los valores de su familia o llevarse una joya de una tienda sin pagarla.

Los sentimientos de culpabilidad son un resultado de la disonancia cognitiva. Este es un término usado en la teoría de la comunicación persuasiva que indica una desconexión entre el sentido de lo correcto y lo incorrecto de una persona y de la acción que se realizó. Según la teoría, el cerebro anhela una consistencia de pensamiento y acción. La disonancia es una falta de armonía o un choque entre valores opuestos.

Hay varios niveles de culpabilidad, y cuanto más seria sea la infracción, más profunda será la culpa. Cómo supera una persona la culpa es también importante porque la culpa no resuelta puede ser un problema continuo. Una persona que se siente culpable por hacer algo ilegal puede decidir no hacerlo nunca más. Pueden reparar el daño pidiendo perdón, devolviendo un artículo robado, o pagando por los daños. También pueden evitar situaciones que hacen resurgir estos sentimientos de culpabilidad.

Si alguien sabe por qué se siente culpable una persona, puede utilizar esa información para controlar lo que hacen. Piense cómo los padres usan la culpabilidad para animar a los niños bien educados. Y piense sobre cómo los niños aprenden a usar la culpabilidad para persuadir a sus padres para conseguir permiso o que acepten una petición.

El chantaje emocional se usa como una forma de control en las relaciones. A veces una persona de la pareja desviará la culpa por una acción inapropiada o violación de la confianza hacia su pareja, que ha sido dañada. Por ejemplo, cuando a una persona se la pilla siendo infiel, la pareja lo justifica sugiriendo que, si su pareja hubiese satisfecho sus necesidades, no hubiera tenido que ser infiel.

Los abusadores domésticos culparán a su cónyuge por ponerles violentos.

Incluso algo tan común como la publicidad es un intento de persuadir a una persona para realizar una acción específica. Durante las campañas electorales, muchos votantes son arrastrados a la mentalidad de rebaño del partido político. El bombo sobre la siguiente mejor generación de un teléfono móvil u otro dispositivo es un elemento de control mental.

¿Cómo sabe un consumidor o votante qué mensaje es manipulador?

Una sugerencia es mirar al mensaje e identificar qué le está diciendo que haga. Decida cuál es la motivación del mensaje y qué respuesta busca el emisor. Mire mensajes opuestos, a lo mejor un competidor del primer mensaje, otro candidato al gobierno o busque una explicación objetiva del mensaje. Compare las diferentes perspectivas y decida cuál encaja más con su perspectiva, creencias y código moral.

Usar la lógica y la razón puede evitar que sucumba a mensajes manipuladores. Si compra un frasco de champú que no hace que su pelo tenga volumen y brillo como dijo el anuncio, no es tan serio como perder los ahorros de su vida porque fue engañado para confiar en alguien cuyo único objetivo era suplantar su identidad.

Capítulo 11: En resumen

Incluso con el conocimiento de una persona con información privilegiada sobre control mental y cómo funciona la persuasión, es imposible vivir la vida sin influencias de fuentes externas. La gente busca consejo de aquellos que ven como mentores, colegas, intelectuales y otros cuya opinión importa. Los consumidores quieren opciones y escuchan discursos de ventas, hablan con amigos o buscan información por su cuenta para decidir qué comprar y de qué pasar.

La persuasión puede impactar las decisiones que tomamos y pueden ayudarnos a hacer elecciones informadas, siempre y cuando seamos conscientes del poder que le damos a otros cuando aceptamos oír su discurso de ventas. Entender cómo funciona la persuasión y las formas en las que la gente busca manipular a una persona para tomar la decisión que el manipulador quiere que tomen es beneficioso para ofrecer protección frente a estas tácticas.

Ser conscientes de cómo funciona el control mental para conseguir ganancias inmorales o ilegales es crítico, dado el aumento del cibercrimen. Aquellos en la triada de la psicología oscura, psicópatas, maquiavélicos y narcisistas, usan las mismas técnicas con más intensidad. Aunque su victimización puede ser diferente, sus habilidades para manipular a otros salen de este mismo conocimiento.

La persuasión es una ciencia que tiene varias teorías para mostrar cómo funciona, por qué funciona y las mejores formas de conseguir el resultado deseado. También es una forma de arte, perfeccionado y practicado a lo largo de los siglos por filósofos, académicos, clérigos y herejes. Es una habilidad que puede marcar la diferencia entre un asociado de ventas y una superestrella de ventas. Puede ganarle respeto, o le puede costar mucho.

En los últimos años, la información considerada antes como noticia ha sido usurpada por sustitutos persuasivos y obstinados. Este tipo de fuentes de información teñidos de partidismo político, por ejemplo, son poderosos para arengar a los simpatizantes y difundir información falsa. La dependencia de la sociedad en hechos es desafiada por las pseudonoticias. Esta tendencia es una advertencia de que la persuasión y el control mental es una parte muy evidente del siglo XXI.

La persuasión es eficaz para ayudar a alcanzar metas personales y profesionales. Hay muchos ejemplos del día a día que muestran a la persuasión en acción. Por ejemplo, librarse de una multa de tráfico o convencer a la entrenadora de la liga de fútbol infantil de que Marina está lista para jugar de delantera. Usamos la persuasión cuando solicitamos un empleo, convenciendo al potencial nuevo jefe de que realmente somos fantásticos. Usamos la persuasión para negociar los términos de un préstamo o conseguir que el vendedor acepte una oferta para comprar su casa a un precio menor del que piden.

Siempre que se negocia un trato, ya sea en la sala de juntas o en la habitación de su hijo, se usan los principios de persuasión. Sin embargo, para tener el control, las técnicas usadas deben ser practicadas y perfeccionadas. Los acuerdos se deben abordar con confianza, pero sin demasiado ego. Un ego, cuando se maneja apropiadamente, es un valor que infunde confianza y seguridad en otros. La confianza es esencial cuando asume el papel del manipulador.

Algunas personas anhelan la atención y responsabilidades del liderazgo. Si esta es su aspiración, un ego bien manejado es su aliado. No solo tendrá la autoestima y confianza para aceptar una posición de liderazgo, sino que además otros identificarán ese rasgo en usted. Es mucho más fácil seguir a una persona que hace a la gente sentirse segura de sus habilidades para tomar decisiones y trazar el rumbo que seguir a alguien indeciso.

También es importante señalar que un buen manipulador de los procesos de pensamiento de la gente entiende la importancia de empezar con un tono amigable. Es la naturaleza humana gravitar hacia ambientes felices y acogedores. ¿Realmente alguien busca el ámbito oscuro de las fantasías de ciencia ficción? No subestime la atracción de una personalidad brillante y una naturaleza jovial. Estas son características importantes para facilitar una relación beneficiosa mutua entre un manipulador y la persona que está siendo persuadida.

Mida sus palabras cuidadosamente en la conversación. Asegúrese de que no ofenden involuntariamente. Evite palabras y frases que puedan ser malinterpretadas como críticas a la persona a la que se dirigen estas palabras. Las palabras son una herramienta poderosa en la persuasión. Pueden inspirar y animar, o pueden demoler y desanimar.

Las palabras pueden curar a una comunidad o dividirla. Esa es una de las razones por las que conceptos como *Verbal Judo* se han hecho hueco en los entrenamientos de los cuerpos de seguridad. En una profesión donde las emociones de la gente están abrumadas y la adrenalina es alta, una elección de palabras insensible puede empeorar una situación ya peligrosa de por sí.

La gente que es reticente a hablar con una persona con autoridad por algún código vecinal, lo más probable es que no vayan a pararse y hablar voluntariamente con la policía. Con un entrenamiento apropiado, teniendo la habilidad de reformular una petición para hacerla menos beligerante, es un desarrollo positivo en las relaciones entre la policía y la comunidad.

La habilidad de explicar las consecuencias de una acción o proporcionar una explicación por la aplicación de una regla se vuelve un momento de instrucción en vez de simplemente un arresto de un individuo. La habilidad de reconocer a una persona que está sufriendo y empezar una conversación que muestra preocupación hace que un agente de la ley sea mejor en su trabajo. Conseguir información es mucho más fácil cuando alguien no se siente amenazado.

Esta es una lección que se puede aplicar a cualquier profesión. Un compañero de trabajo que pueda sentir que intenta sustituirle, puede que no sea de tanta ayuda cuando necesita aprender cómo incluir una orden de ventas. Si se encuentra con un cliente infeliz, saber qué frases le ayudarán a calmar las cosas ahorra mucha irritación.

Una lección importante es tomar lo que otros compartan sobre la persuasión y encontrar formas de incorporarlo a lo que usted hace. La próxima vez que reciba un discurso de ventas, fíjese en cómo se dirige el presentador a la multitud. ¿Establecen contacto visual? ¿Fue una experiencia relajante, pero energética, o fue aburrida? ¿Tuvo una conexión con el presentador? ¿Se parecía a usted de alguna forma?

Establecer esa conexión entre el manipulador y la persona objetivo es vital, especialmente si la decisión a tomar es una substancial. Cuanto haya mayor riesgo involucrado en la decisión, más seguro tendrá que ser el vínculo personal. Confianza y credibilidad son consideraciones importantes para decidir si seguir un consejo o recomendación o no.

Para determinar la credibilidad, la gente tiende a confiar en aquellos que tienen las cualificaciones para ser considerados como expertos. En un juicio, por ejemplo, un testigo experto es cuestionado respecto a su educación, experiencia, preparación y otros factores que indicarían que su testimonio es creíble. Incluso aunque el experto declare su opinión sobre los descubrimientos, siempre y cuando el jurado esté de acuerdo en que sus credenciales son lo suficientes como para considerar al testigo como un experto, su testimonio está considerado como parte de las pruebas.

El testigo experto en realidad usa su opinión para persuadir al jurado para ponerse de lado de la defensa o el fiscal, dependiendo de quién contrató al experto. El jurado está dispuesto a ser persuadido según si lo que dijo el experto está probablemente basado en hechos.

En las clases universitarias, los profesores a menudo ponen sus credenciales en el temario o página web de la clase. Este importante paso establece al profesor como un entendido sobre el tema. A la hora de enseñar, que también podría considerarse persuasión, establecer credibilidad les dice a los estudiantes que pueden confiar en lo que el profesor les enseñará sobre el tema.

Los candidatos que se presentan a la carrera presidencial también enumeran sus credenciales, como el nivel educativo, la afiliación al partido, experiencia laboral y sus apoyos. Además, los candidatos usan sus historias personales para conectar con los potenciales votantes. La experiencia les cualifica para llegar al gobierno, y las historias personales logran repercusión por una razón diferente. Alguien que tiene los mismos valores o tienen un mismo origen, tiene una ventaja. La gente conecta con aquellos que son como ellos y un candidato que demuestra los mismos ideales cosecha un índice de confianza mayor que alguien que es diferente de sus constituyentes. En el juego de la persuasión, la familiaridad es una fuerte influencia en la toma de decisiones de la gente.

Siempre que trata con gente, es una buena idea esperar lo inesperado. Mientras que algunas de las cosas que la gente hace pueden ser predecibles, no todo el mundo es igual. Una buena estrategia es tantear el terreno con métodos probados y verdaderos, pero esté dispuesto a adaptarse como sea necesario. La fluidez es la habilidad de cambiar de dirección, cambiar de forma, y encontrar una forma de evitar los obstáculos. Mantener la conversación de persuasión fluida permite un rápido ajuste si aparece un desafío en el proceso. Adaptar técnica y estrategia puede encarrilar una negociación en vez de dejar que se desestabilice por completo.

Para ser bueno en el juego de la manipulación, será necesario un cambio en la estrategia. A la hora de vender espacios publicitarios de un periódico, los vendedores a menudo presentan en la primera reunión un anuncio genérico, un ejemplo del tipo de anuncio que el vendedor querría que contratara su negocio. Hay todo tipo de objeciones para las que el vendedor tiene que estar listo, desde convencer al negocio sobre la efectividad de anunciarse en una organización de medios local hasta el coste del anuncio. Muchas veces, el anuncio genérico no sirve de nada. La habilidad del vendedor para pensar rápidamente y elaborar una solución al instante ilustra la fluidez en acción.

La habilidad de adaptarse a los retos es uno de los rasgos de un líder y de una persona que puede influir el proceso de toma de decisiones de la gente. Prestar atención a la naturaleza humana y su reacción a las situaciones puede realzar sus habilidades para manipular e influir.

Haga un regalo y obtenga una obligación. Cuando alguien nos hace un favor, hay una reacción automática que tiene que ser devuelta. Los investigadores estudiaron si la gente haría más donaciones si recibían un regalo. Para el estudio, el regalo era un periódico de una organización. La respuesta fue sí. Incluso aunque el regalo fuese algo que el donante no valorase, el número de donaciones y la cantidad de dinero donado aumentaron por encima de la petición de donaciones solicitadas sin un regalo.

Otro estudio mostró que dar un chocolate a los comensales en un restaurante aumentaba considerablemente la cantidad de las propinas que recibía el camarero. Un regalo se ve como un gesto de buena voluntad, y es un gesto que responde al fundamento de la reciprocidad.

La escasez es un fundamento de la persuasión en el que el valor y deseo por algo aumenta cuando hay existencias limitadas. La autoridad es otro de los fundamentos y sugiere que, como un experto, alguien con autoridad tiene más influencia que alguien que no está en una posición de poder. La gente busca consistencia y se resistirá a los mensajes contradictorios.

La simpatía (o gustar) es uno de los fundamentos que también influye en la voluntad de la gente a hacer lo que se les pide. La amabilidad, fiabilidad, y apariencia personal se tienen en cuenta para determinar si le gusta esa persona. Un manipulador consumado hará un esfuerzo por mantener las apariencias.

Por último, la gente responde a lo que los otros hacen. La mentalidad de rebaño es una fuerte influencia en las acciones que la gente realiza. Si alguien ve a un vecino, compañero de clase, de trabajo u otro asociado comprando algo o apuntándose a una ONG, les sigue rápidamente. Mire la popularidad de las competiciones de pérdida de peso en los gimnasios locales al estilo de los que aparecen en la tele. La idea de que una persona no está sola en su cruzada para alcanzar su peso ideal es un fuerte incentivo para participar.

El amor y las emociones tampoco son inmunes a la persuasión. El proceso de seducción es muy enredoso e incluye un elaborado proceso para persuadir al igual que confundir a la víctima intencionada. Mientras que la seducción es una forma extrema de persuasión, muchos de los pasos implicados también son válidos para otros esfuerzos de manipulación. Las negociaciones que a menudo ocurren entre parejas vienen, en parte, del proceso de seducción.

La seducción, como las relaciones personales, depende casi exclusivamente de las emociones. Otra persuasión entra en las emociones, pero no se concentra en la manipulación de cómo se siente alguien. El objetivo de toda persuasión es obtener una decisión que beneficia al manipulador primero, y la persona que toma la decisión, segundo. En la seducción, solo el seductor alcanza su objetivo.

La persuasión y otros métodos de control mental no son nada nuevo. Estas técnicas se han practicado y perfeccionado a lo largo de los tiempos. Ser capaz de dirigir a gente hacia una decisión que es en su propio beneficio es una sensación poderosa. La habilidad de manipular el razonamiento y convencer a alguien para hacer algo tiene posibilidades positivas. Sin embargo, tiene un lado oscuro.

Reconocer las técnicas por lo que son y las fuerzas detrás del esfuerzo son armas esenciales para no convertirse en una víctima. Mientras que es noble confiar, hay gente que abusa de aquellos individuos que confían. En este caso, la mejor defensa es el conocimiento de alguien con información privilegiada sobre las dinámicas de control mental.

Todo se reduce a que el conocimiento es poder. El conocimiento de cómo manipular las decisiones de la gente le da a alguien la ventaja. Saber cómo reconocer estos intentos coloca el poder de nuevo en la cartera del consumidor.

Conclusión

Gracias por llegar al final de *Persuasión: Técnicas de manipulación muy eficaces para influir a la gente para que haga voluntariamente lo que usted quiera usando PNL, control mental, psicología oscura y un profundo conocimiento de la conducta humana.*

Este no es un tema fácil de entender, pero es uno sobre el que conocer cómo funciona es vital para la supervivencia en un mercado en continua evolución. La competición para atraer a consumidores a comprar una marca, producto o servicio específico es intensa. Aquellos asociados con este proceso han perfeccionado sus habilidades persuasivas para convencer al consumidor para que les compren a ellos.

Mucho se ha tratado en los capítulos previos, pero todo se ha diseñado para proporcionar una imagen completa del proceso de manipulación mental, tanto buena como mala. Esta visión exhaustiva de la persuasión es una caja de herramientas para que las use usted.

La influencia y los manipuladores están en todas partes. En muchos casos, es un talento laboral necesario para triunfar. Cuando se practica de forma profesional, es un recurso. Como ha descubierto en este libro, la habilidad de persuadir es un talento que saca experiencias tanto positivas como negativas.

Su viaje por el libro debería haber sido informativo y haberle proporcionado todas las herramientas que necesita para alcanzar sus metas, cualesquiera que sean. Use lo que ha aprendido aquí para estar preparado cuando esté sufriendo una manipulación que supera la línea de la moralidad. Reconozca quién es su amigo y quién es su enemigo.